Michel D. Laurier
Robert Tousignant
Dominique Morissette

Les principes de la mesure et de l'évaluation des apprentissages

3e édition

gaëtan morin
éditeur

CHENELIÈRE ÉDUCATION

Les principes de la mesure et de l'évaluation des apprentissages, 3e édition

Michel D. Laurier, Robert Tousignant, Dominique Morissette

© 2005, 1990 **gaëtan morin éditeur ltée**
© 1982 EPi Éditions Préfontaine inc.

Éditeur : Luc Tousignant
Coordination : Lina Binet
Révision linguistique : Sylvain Archambault
Correction d'épreuves : Louise Carrier
Conception graphique et infographie : Christian L'Heureux

**Catalogage avant publication
de Bibliothèque et Archives Canada**

Tousignant, Robert

Les principes de la mesure et de l'évaluation des apprentissages

3e éd. / par Michel D. Laurier.

Comprend des réf. bibliogr. et un index.

ISBN 2-89105-901-8

1. Tests et mesures en éducation. 2. Classement et notation (Élèves et étudiants). 3. Apprentissage – Évaluation. 4. Élèves – Évaluation. I. Laurier, Michel (Michel D.). II. Titre.

LB3051.T68 2005   371.26   C2005-940572-4

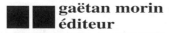

**gaëtan morin
éditeur**

CHENELIÈRE ÉDUCATION

5800, rue Saint-Denis, bureau 900
Montréal (Québec) H2S 3L5 Canada
Téléphone : 514 273-1066
Télécopieur : 450 461-3834 ou 1 888 460-3834
info@cheneliere.ca

ISBN 2-89105-901-8

Dépôt légal : 2e trimestre 2005
Bibliothèque nationale du Québec
Bibliothèque nationale du Canada

Imprimé au Canada

3 4 5 6 7 M 16 15 14 13 12

Nous reconnaissons l'aide financière du gouvernement du Canada par l'entremise du Fonds du livre du Canada (FLC) pour nos activités d'édition.

Chenelière Éducation remercie le gouvernement du Québec de l'aide financière qu'il lui a accordée pour l'édition de cet ouvrage par l'intermédiaire du Programme de crédit d'impôt pour l'édition de livres (SODEC).

Tableau de la couverture :
Les fous du roi...
Œuvre de **Richard Carignan**

Richard Carignan est né à Lachine, en 1964 ; ce peintre est autodidacte et son médium est l'acrylique sur toile.

Ses œuvres se composent principalement de personnages imaginaires plus ou moins abstraits, faits de formes et de lignes entrelacées en couleurs et textures. L'approche picturale est avant tout intuitive. M. Carignan commence par une esquisse globale, qui vit sous cette forme pendant un temps indéterminé, puis il la reprend pour l'amener au tableau final. Le sens et l'impact émotionnel peuvent donc varier et évoluer considérablement en cours de route, reflétant l'énergie et les états d'âme du peintre.

Les œuvres de Richard Carignan font partie de nombreuses expositions collectives ; elles sont également présentées à la Galerie d'art du mont Sainte-Anne, à Beaupré, à la Galerie L'Harmathan, à Baie-Saint-Paul, à la Galerie Saint-Dizier, dans le Vieux-Montréal, et à la Galerie Relais des Arts, à Stanbridge Est.

Remerciements

Je tiens à remercier madame Marielle Simon, professeure titulaire à la faculté d'éducation de l'Université d'Ottawa, et monsieur Gilles Raîche, professeur au département d'éducation et pédagogie de l'UQÀM, pour leur lecture attentive du manuscrit et leurs précieux conseils. Je désire également remercier mon épouse, Cécile, pour sa compréhension et son soutien indéfectible.

Table des matières

Chapitre 1

Chapitre 2

Chapitre 5

Chapitre 6

Chapitre 7

Chapitre 8

La transmission des résultats de l'évaluation 145

Introduction
à la troisième édition

Quand la première édition de l'ouvrage *Les principes de la mesure et de l'évaluation des apprentissages* a été publiée en 1982, la première politique du ministère de l'Éducation du Québec sur l'évaluation des apprentissages venait d'être adoptée (Ministère de l'Éducation du Québec, 1981) et les programmes par objectifs bousculaient les pratiques traditionnelles (Ministère de l'Éducation du Québec, 1980a). Une nouvelle vision de l'évaluation se dessinait grâce au concept d'évaluation formative (Conseil supérieur de l'éducation, 1982). Il y avait alors une effervescence dans le milieu de l'éducation qui rappelle celle que l'on connaît présentement.

L'objectif du regretté Robert Tousignant, l'auteur de la première édition, était d'offrir un texte d'introduction qui présenterait les concepts de base et arriverait à induire des pratiques évaluatives plus efficaces et plus cohérentes. L'auteur avait délibérément choisi un ton à la fois didactique et simple, et il avait fait l'effort de se concentrer sur les aspects les plus importants d'un champ où s'ouvraient alors de multiples avenues de recherche et d'expérimentation.

En 1990, soit huit ans plus tard, paraissait la deuxième édition, sous la plume de Dominique Morissette. Celui-ci avait alors tenté, tout en restant fidèle aux objectifs initiaux, de faire une mise à jour du texte à la lumière des leçons tirées de l'expérimentation des nouveaux programmes d'études et des innovations dans le domaine de la mesure et de l'évaluation en éducation. Cette deuxième édition était devenue plus rigoureuse dans la terminologie employée et plus explicite sur des aspects comme le type d'items, l'évaluation des dimensions affective et psychomotrice, l'usage du bulletin, l'analyse d'items, et les notions de fidélité et de validité.

Une troisième édition, plus de 20 ans après la première, était-elle pertinente ? Il est certain que le domaine de l'évaluation des apprentissages a considérablement évolué au cours de la dernière décennie et que le projet de cette troisième édition suscitait certaines interrogations avec l'arrivée de courants comme l'évaluation authentique, la parution des nouveaux programmes par compétences et la popularité des approches qualitatives. Le fait que nous ayons conservé le titre original témoigne d'un désir de dégager les principes les plus fondamentaux du domaine. Cette entreprise de conciliation entre le passé et le présent nous aura permis de nous rendre compte que, malgré l'importance des changements survenus au cours des dernières années, nous ne pouvons probablement pas parler d'une remise en question radicale de nos théories et de nos pratiques.

Nous avons voulu, dans cette troisième édition, être fidèle aux objectifs initiaux. L'ouvrage reste donc une introduction au domaine de l'évaluation des apprentissages à l'intention de praticiens. De ce fait, nous avons renoncé à faire de cette troisième édition une édition augmentée. La réduction du texte consacré aux tableaux de spécifications, la compression des sections relatives aux apprentissages affectifs et psychomoteurs, la concentration sur les aspects de l'évaluation plutôt que sur sa planification ont même permis de diminuer légèrement le nombre de pages. Nous avons aussi été fidèle au désir de Robert Tousignant en ne nous enfermant pas dans un jargon ésotérique et en conservant un ton convivial.

Bien que les principes de base sur lesquels se fonde l'évaluation des apprentissages tiennent encore, il reste que les changements profonds que nous vivons depuis une dizaine d'années nous forcent à remettre en question plusieurs de nos pratiques. Nous avons donc remanié le texte en profondeur afin de faire une place au concept de compétence, de présenter le courant de l'évaluation authentique, de mieux camper le jugement professionnel de l'enseignant, de tenir compte de l'importance des données provenant de l'observation et, surtout, d'éviter une simplification à outrance. Dans cette perspective, les auteurs des éditions précédentes nous pardonneront sans doute les révisions majeures que nous avons fait subir à leur texte.

Le lecteur constatera que le texte fait régulièrement référence à la situation dans les milieux scolaires québécois. Nous avons tout de même tenté de garder une distance critique. Nous estimons que les concepts qui sont abordés se rattachent à des tendances lourdes qui se manifestent dans la plupart des systèmes éducatifs occidentaux. Avec cette troisième édition, nous espérons guider les enseignants du Québec et d'ailleurs en fixant quelques balises et nous pensons qu'ils y trouveront matière à réflexion pour développer des approches évaluatives plus efficaces et plus cohérentes.

Michel D. Laurier

Les divers aspects de l'apprentissage

1

Le phénomène de l'apprentissage est au centre des préoccupations de l'enseignant et de l'éducateur. Enfants et adultes, par milliers, fréquentent les écoles pour apprendre. La société et ses institutions, privées ou publiques, mettent tout en œuvre pour les orienter dans la bonne direction et faciliter leur apprentissage. Au niveau primaire, secondaire, collégial ou universitaire, dans les centres de formation et tout le long de la vie, les gens continuent à apprendre. On accepte d'emblée le concept d'éducation permanente, qui suggère un apprentissage continu. Au début des années 1970, une commission internationale de l'UNESCO (Commission Faure, 1972) affirmait d'ailleurs que le facteur essentiel du changement et du développement, individuel ou social, se trouvait dans la capacité d'apprendre des êtres humains de tout âge. À l'approche du nouveau millénaire, une autre commission du même organisme (Commission Delors, 1996) rappelait de nouveau l'importance de l'éducation pour le développement de toutes les régions du monde et proposait quatre orientations majeures : apprendre pour connaître, apprendre pour faire, apprendre pour vivre ensemble et apprendre pour être.

Les chercheurs multiplient les efforts pour comprendre et maîtriser ce phénomène complexe qu'est l'apprentissage. Ils essaient de découvrir les mécanismes internes par lesquels on apprend. Ils tentent d'analyser le processus de l'apprentissage, de définir les stades du développement de l'enfant et de découvrir, ainsi, le moment où certains apprentissages se font le plus facilement. Ils proposent de nouvelles approches méthodologiques et de nouveaux outils didactiques pour favoriser des apprentissages bien intégrés et permanents. Les travaux dans le domaine de la psychologie cognitive et des sciences cognitives montrent à la fois la complexité des processus qui interviennent dans l'apprentissage et le rôle central de ce dernier dans l'activité humaine (Dubé, 1986 ; Tardif, 1992).

Il est donc normal que les chercheurs en éducation s'intéressent aussi à la façon d'observer ou de mesurer les manifestations de l'apprentissage et d'évaluer les résultats obtenus. C'est cette dimension de l'apprentissage que nous allons développer dans cet ouvrage. Cependant, pour placer dans leur juste perspective les problèmes liés à l'évaluation des apprentissages, nous allons d'abord examiner brièvement quelques aspects de ce phénomène.

Nous analyserons, dans un premier temps, le concept même de l'apprentissage, pris dans son sens général ; nous exposerons ensuite la très grande diversité des formes qu'il peut prendre dans un contexte scolaire. Ces observations préliminaires nous permettront de définir des notions connexes importantes dont il sera constamment question par la suite, et plus particulièrement les notions :

- d'objectifs ;
- de compétences ;
- d'observation ;
- de mesure ;
- d'évaluation de l'apprentissage.

Enfin, pour récapituler, nous présenterons un modèle, relativement simple, qui nous permettra de situer les uns par rapport aux autres et de relier logiquement entre eux quelques-uns des éléments qui jouent habituellement un rôle dans le processus d'apprentissage.

1.1 La nature du phénomène de l'apprentissage

Par expérience, l'individu sait jusqu'à quel point il a évolué, jusqu'à quel point il a développé des compétences, acquis des connaissances, maîtrisé des habiletés et adopté des attitudes. Comment cela s'est-il fait ? Que s'est-il passé en lui et autour de lui au moment d'apprendre ? Qu'est-ce qui a favorisé l'apprentissage ou lui a nui ? Quelles interventions de l'enseignant ont davantage contribué à l'apprentissage ? Autant de questions, parmi bien d'autres, auxquelles nous pouvons apporter des réponses, au moins partielles.

En effet, le phénomène de l'apprentissage nous est assez familier pour que, grâce à l'observation quotidienne, nous arrivions à en dégager quelques caractéristiques importantes et utiles pour nos pratiques pédagogiques. Nous constatons, par exemple, que toute forme d'apprentissage entraîne un changement chez la personne qui apprend. Apprendre, c'est changer, en ce sens qu'il existe une différence entre un individu qui a intégré une nouvelle information et celui qui ne l'a pas intégrée, entre l'individu qui ne savait pas comment réaliser une tâche et celui qui, maintenant, le sait.

L'enfant apprend très tôt et très vite parce que, dès son plus jeune âge, il enregistre une multitude d'éléments visuels, sonores et sensoriels. Il perçoit la lumière, les couleurs, les formes, les mouvements, les sons, les bruits, les saveurs, etc. À ce stade, il apprend par accumulation de données. Bientôt, il établira des liens entre ces données; il associera telle couleur et telle forme avec tel objet, telle voix avec telle personne, tel mot avec tel événement. C'est ainsi qu'il commencera à comprendre le monde qui l'entoure. Cependant, qu'il s'agisse d'emmagasiner des connaissances ou de relier des notions nouvelles, l'apprentissage constitue toujours une forme de changement. Les mots même qu'on utilise pour désigner ce phénomène comportent la notion de changement. En effet, le verbe apprendre se compose du verbe prendre et de la particule latine *ad*. On pourrait donc dire qu'apprendre signifie prendre à l'extérieur de soi des images, des notions, etc., et les ajouter à celles qu'on a déjà intégrées. Dans bien des cas, apprendre signifie plutôt comprendre. Mais comprendre, formé du verbe prendre et de la particule latine *cum*, contient encore la notion de changement puisque ce mot indique qu'on prend quelque chose à l'extérieur et qu'on l'intègre à ce qu'on sait déjà. L'individu comprend lorsqu'il a fait siens de nouveaux symboles et de nouvelles idées. Dans le *Dictionnaire actuel de l'éducation* de Legendre (1993, p. 66), on peut lire ceci : « Apprendre implique chez le sujet un changement durable au niveau des connaissances, des comportements ou des attitudes. »

Au cours des dernières années, plusieurs théories de l'apprentissage se sont opposées, chacune tentant d'expliquer le phénomène de l'apprentissage et de se poser comme le fondement d'une approche pédagogique efficace. On peut distinguer quatre tendances principales.

1. **La tendance humaniste.** Cette façon de concevoir l'apprentissage est sans doute la plus ancienne. Ses tenants affirment que l'individu doit intégrer par imitation les comportements de modèles (par exemple, un expert dans un domaine ou un maître à penser). De ce point de vue, l'apprentissage se traduit par une activité de reproduction. La tendance humaniste est aussi liée à l'idée du développement global de l'individu, qui apprend l'« art de vivre »; elle est parfois associée à une vision élitiste de l'éducation.

2. **La tendance béhavioriste.** L'apprentissage se caractériserait par le développement d'automatismes plus ou moins complexes qui peuvent être déclenchés lorsque la situation le demande. Dans sa forme la plus pure, cette tendance reflète une conception mécaniste de l'apprentissage, lequel consisterait en l'acquisition de comportements à la suite d'un conditionnement où la réponse désirée est associée à un stimulus. Des formes plus nuancées de la tendance béhavioriste sont apparues. Toutes mettent l'accent sur la programmation de l'enseignement.

3. **La tendance cognitiviste.** L'apprentissage consisterait à intégrer divers éléments de connaissances dans des procédures qui permettent de résoudre différents types de problèmes. La tendance cognitiviste s'est développée en réaction contre la précédente. Ses tenants visent l'intégration de divers types de connaissances qui permettront à l'individu de traiter l'information afin d'affronter une infinité de situations nouvelles. Ils mettent également l'accent sur la conscience qu'a l'individu des apprentissages qu'il réalise.

4. **La tendance constructiviste.** Les connaissances se développeraient par le traitement de nouvelles informations qui viendraient raffiner et complexifier les connaissances déjà en place. L'apprentissage se fait donc dans la mesure où l'individu se trouve dans des situations riches et stimulantes où il peut à la fois solliciter et modifier ses connaissances antérieures. La tendance constructiviste donne un rôle actif à l'apprenant.

Même si ces tendances correspondent à des écoles de pensée distinctes, elles sont elles-mêmes traversées par différents courants. Ainsi, certaines approches humanistes poussées à l'excès s'avèrent plutôt «déshumanisantes». Il faut distinguer, dans la tendance béhavioriste, le néo-béhaviorisme, qui a inspiré la pédagogie de la maî trise (Bloom, 1969), des applications plus radicales que propose Skinner (1957). L'approche cognitive s'est développée autant par l'apport de la psychologie cognitive que par celui de la recherche en intelligence artificielle. Finalement, le constructivisme regroupe plusieurs courants différents : on peut, par exemple, penser au constructivisme de Bruner (1967) et au constructivisme piagétien (Piaget, 1997) ou, encore, à l'adaptation qu'en ont faite les technologues avec le mouvement du «constructionnisme» (Papert, 1981). Plus récemment, on a vu se répandre les conceptions dites «sociocons-tructivistes» influencées par les idées de chercheurs comme Vygotski (1997), pour qui l'acte d'apprendre est un acte social, de Bandura (1986), qui parle de communauté d'apprenants, ou de Slavin (1983), qui s'est fait le promoteur de l'apprentissage coopératif.

C'est en ce sens que le nouveau *Programme de formation de l'école québécoise* pour le primaire (Ministère de l'Éducation du Québec, 2001) a d'abord été présenté comme un document inspiré des conceptions socioconstructivistes. On voulait, de cette façon, montrer l'importance des interactions sociales dans le processus de construction des connaissances et insister sur le fait que ces connaissances prennent tout leur sens lorsqu'elles sont partagées au sein d'une communauté.

Bien que chaque théorie mette l'accent sur des aspects différents, toutes s'entendent pour décrire l'apprentissage comme une activité mentale qui conduit à un changement interne chez l'individu. Lorsqu'il est employé au pluriel («les apprentissages»), le mot sert souvent à désigner l'ensemble de ces changements internes. En ce sens, les apprentissages ne sont jamais observables ni mesurables. Seules leurs manifestations le sont.

1.2 La diversité des apprentissages scolaires

Il faut souligner que ces changements que nous appelons apprentissages peuvent prendre les formes les plus diverses. Nous avons déjà expliqué la différence entre les termes apprendre et comprendre. Globalement, comprendre renvoie plutôt à des apprentissages d'ordre cognitif et suppose une certaine appropriation de nouvelles connaissances. Si on y regardait d'un peu plus près, on constaterait qu'il y a bien des manières de comprendre, de s'approprier des connaissances et, qu'en fait, ces apprentissages cognitifs englobent toute une série de processus intellectuels d'organisation et d'intégration des connaissances qui permettent à l'individu de les maîtriser, de les assimiler et de les appliquer dans des situations pratiques.

Toutefois, les apprentissages ne concernent pas tous la seule acquisition des connaissances ; plusieurs débordent largement le domaine cognitif. Les élèves doivent, par exemple, apprendre à lire, à compter, à s'exprimer oralement et par écrit ; ils doivent apprendre à travailler soigneusement, à résoudre des problèmes, à effectuer des recherches, à vivre harmonieusement avec leurs camarades, etc. En d'autres termes, les élèves doivent développer toutes sortes d'habiletés, acquérir de bonnes habitudes et de bonnes attitudes. De plus, ils doivent apprendre à aimer certaines choses, à accepter certains principes et à apprécier certaines valeurs. Quand nous parlons de développer des habiletés intellectuelles, nous traitons d'éléments du domaine cognitif, mais quand nous parlons des intérêts, des habitudes ou des attitudes, nous touchons au domaine affectif ; et si les habiletés que nous voulons développer supposent la maîtrise de certains mouvements, nous touchons aux apprentissages psychomoteurs.

Le regroupement des manifestations extérieures de l'apprentissage en trois domaines — cognitif, affectif et psychomoteur — n'est certes pas le seul possible. Gagné (1976), par exemple, présente les produits de l'apprentissage selon les capacités d'un individu ; il en distingue cinq : l'information verbale, les habiletés intellectuelles, les stratégies cognitives, les habiletés motrices et les attitudes. Cependant, depuis plusieurs années, il est courant de regrouper, dans des catégories relativement étanches, les apprentissages dans trois domaines, d'autant plus que les taxonomies de Bloom (1969), de Krathwohl (1976) et de Harrow (1977) ont grandement contribué à délimiter de façon opérationnelle chacun de ces domaines.

Le terme taxonomie a été formé à l'aide de deux mots grecs : *taxis*, qui signifie ordre, arrangement, et *nomos*, qui signifie loi ou règle. C'est pourquoi ce terme a été retenu pour désigner l'ensemble des règles qui régissent l'organisation cohérente des apprentissages ou des objectifs d'apprentissage. Au moment de la création des trois taxonomies aujourd'hui les plus connues, une équipe d'une quarantaine de psychologues en éducation, sous la direction de Bloom, a d'abord travaillé à circonscrire trois grands domaines d'apprentissages susceptibles d'encadrer tous les apprentissages apparaissant dans les programmes d'études, les manuels scolaires et les ouvrages pédagogiques contemporains. Tout en reconnaissant que les apprentissages cognitifs, affectifs et psychomoteurs s'enchaînent les uns aux autres, ces psychologues ont proposé ces domaines comme premier principe de classification. Puis, à l'intérieur de chaque domaine, ils ont déterminé un certain nombre de catégories et de sous-catégories d'apprentissages, selon un continuum où l'on pourrait ordonner les apprentissages des plus simples aux plus complexes. Ainsi, dans le domaine des apprentissages cognitifs, ils en sont arrivés à établir les six catégories suivantes :

- l'acquisition ;
- la compréhension ;
- l'application ;
- l'analyse ;
- la synthèse ;
- l'évaluation.

Le premier niveau se limite au recours à la mémoire alors que le dernier sollicite la pensée critique de l'apprenant. La structure hiérarchique de cette classification permet de tenir compte du fait qu'on peut s'approprier un contenu à divers niveaux, et que des apprentissages de niveau plus complexe supposent des apprentissages préalables de niveau inférieur. Il est toutefois apparu que les taxonomies proposées par l'équipe de Bloom n'étaient pas toujours adaptées à certains contenus spécifiques. Des chercheurs ont donc créé des taxonomies propres à un domaine ou correspondant à une vision particulière de l'apprentissage, au point où l'on trouve maintenant une multitude de taxonomies différentes.

Avec les recherches dans le domaine de la psychologie cognitive, une autre forme de classification des connaissances s'est répandue. C'est ainsi que les cognitivistes distinguent, quant à eux, trois types de connaissances (Anderson, 1999).

1. **Les connaissances déclaratives.** Elles se composent de listes d'éléments dont le rappel sollicite la mémoire. D'une certaine manière, on peut qualifier ces connaissances de théoriques. Par exemple, connaître les tables d'addition et

de multiplication est de l'ordre des connaissances déclaratives. Il en est de même de la connaissance des parties du corps humain en biologie ou de la connaissance des caractéristiques du Siècle des Lumières en littérature. Les connaissances déclaratives à acquérir sont nombreuses et diversifiées ; on ne doit pas sous-estimer leur importance.

2. **Les connaissances procédurales.** Elles se composent de règles (des procédures) qui combinent divers éléments et sont activées pour expliquer un phénomène, résoudre un problème, exécuter une séquence d'actions, etc. On pourrait dire des connaissances procédurales qu'elles sont nécessaires pour qu'une action puisse avoir lieu. Par exemple, la résolution d'un problème en physique, la révision d'un texte, la réparation d'un objet sont autant d'actions qui font appel à des connaissances procédurales.

3. **Les connaissances conditionnelles.** Elles consistent en des règles de décision qui permettent de déterminer si l'application d'une procédure est appropriée. Ainsi, la plupart des situations qui exigent de l'individu qu'il exerce son jugement critique, qu'il fasse un choix parmi différentes façons de résoudre un problème particulier ou qu'il planifie une séquence d'opérations supposent un rappel de connaissances conditionnelles.

De plus, on distingue maintenant un autre type d'apprentissage. Il se superpose aux apprentissages du domaine cognitif et on l'associe au concept de métacognition (Noël, 1997). Les habiletés métacognitives sont des outils que l'élève se construit pour mieux apprendre. Par exemple, on range dans cette catégorie des habiletés relatives au traitement des nouvelles informations, à la méthodologie du travail intellectuel et à l'évaluation, par l'élève, de ses propres apprentissages.

Enfin, une séparation trop marquée entre les trois domaines d'apprentissage apparaît maintenant peu conforme à la nature des processus d'apprentissage. Par exemple, certains apprentissages peuvent relever à la fois des domaines cognitif et psychomoteur : on peut penser à certaines techniques dans les disciplines sportives ou, encore, à la prononciation des phonèmes d'une langue étrangère. De plus, on reconnaît que les aspects liés aux valeurs personnelles et au fonctionnement social de l'individu, aspects habituellement rangés dans le domaine affectif, interagissent avec les apprentissages d'ordre cognitif. Nous montrons dans le chapitre suivant comment la notion de compétence permet de tenir compte de ces interactions.

1.3 L'organisation des programmes éducatifs

Comme les apprentissages, les objectifs pédagogiques sont de nature cognitive, affective ou psychomotrice — quoiqu'il faille souvent nuancer cette affirmation. Apprendre la grammaire, l'histoire ou la chimie, apprendre à lire, à écrire, à compter amènent des changements d'ordre cognitif. Développer le goût de la lecture ou l'intérêt pour les sciences naturelles, acquérir des habitudes de travail rigoureuses et systématiques supposent des modifications des caractéristiques affectives de la personne. Apprendre à bien articuler les mots, à bien les calligraphier, à bien dactylographier, à faire des pas de danse nécessite la maîtrise de ses mouvements, le développement de sa motricité ; ce sont des objectifs psychomoteurs.

Si on définit l'apprentissage comme un changement interne qui survient chez la personne, on peut dire que les programmes éducatifs ou les programmes de formation en général (les curriculums) devraient établir la liste des changements intérieurs qu'on souhaite voir se produire chez les apprenants. Jusqu'à ce qu'on en arrive, dans la plupart des systèmes éducatifs, à formuler ces changements souhaités sous forme d'objectifs pédagogiques, les programmes consistaient essentiellement en une liste d'éléments de contenu sans que soit précisé le type d'appropriation que devait en faire l'élève. Ainsi, en mathématiques, on pouvait trouver la notion de soustraction avec retenue et on supposait qu'à la fin de son apprentissage, l'élève serait capable d'appliquer correctement l'algorithme de soustraction avec retenue. La construction de « programmes par objectifs » a permis de formuler plus explicitement les changements attendus puisqu'un objectif général peut être défini comme un énoncé composé d'un élément de contenu (par exemple, la soustraction avec retenue) auquel est associé le verbe d'une taxonomie (par exemple, « appliquer »).

Par ailleurs, au cours des dernières années, plusieurs systèmes éducatifs se sont tournés vers la construction de programmes éducatifs basés sur les compétences. Nous reviendrons dans les prochains chapitres sur le concept de compétence. Nous pouvons dire, pour l'instant, qu'il tend à remplacer le concept d'objectif parce qu'il permet notamment d'éviter de décomposer les apprentissages en catégories étanches (cognitive, affective et psychomotrice) et en objectifs pointus sans liens les uns avec les autres. La compétence se définit comme un savoir-faire qui mobilise un certain nombre de ressources pour faire face à un ensemble de situations.

Comme les objectifs, les compétences découlent logiquement de la mission que l'organisation sociale confie à son système d'éducation. Par exemple, la dernière réforme du curriculum au Québec a été l'occasion de rappeler aux citoyens les trois volets de la mission de l'école — instruire, socialiser et qualifier — et de préciser les finalités dans l'esprit de cette réforme (Ministère de l'Éducation du Québec, 1997). La détermination des finalités et des buts de la formation revêt une importance considérable dans l'élaboration de n'importe quel curriculum ; ce sont ces attentes globales qui généreront les principes justifiant les éléments majeurs du régime pédagogique et qui, en définitive, orienteront les efforts de tous les éducateurs. Les objectifs pédagogiques ou les énoncés de compétence que se donne une organisation scolaire décrivent des transformations générales que l'on souhaite voir apparaître chez les enfants entre le moment où ils entrent à l'école et celui où ils en sortent. Ces objectifs ou ces compétences dépendent fondamentalement du type de citoyens qu'on veut modeler et des caractéristiques qu'ils doivent acquérir pour s'intégrer harmonieusement dans la société. La figure 1.1 montre que la démarche de construction de programmes

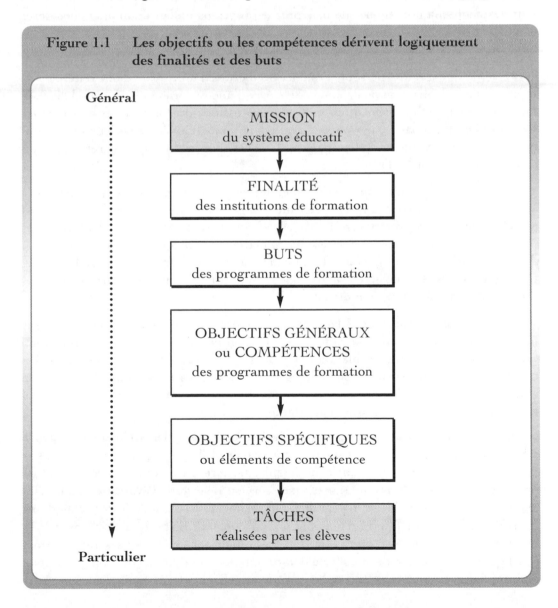

Figure 1.1   Les objectifs ou les compétences dérivent logiquement des finalités et des buts

Général

MISSION
du système éducatif

FINALITÉ
des institutions de formation

BUTS
des programmes de formation

OBJECTIFS GÉNÉRAUX
ou COMPÉTENCES
des programmes de formation

OBJECTIFS SPÉCIFIQUES
ou éléments de compétence

TÂCHES
réalisées par les élèves

Particulier

est une démarche déductive qui consiste à s'interroger sur les changements qu'implique la mission de l'école et sur les façons dont pourront se traduire ces changements dans le comportement des individus.

1.4 L'évaluation des apprentissages

Puisque cet ouvrage porte essentiellement sur l'évaluation de l'apprentissage, il nous faut dès maintenant examiner de plus près le processus de l'évaluation et considérer ce qu'il a de particulier quand il s'applique à l'apprentissage.

Évaluer, pour le commun des mortels, c'est déterminer la valeur d'un objet, apprécier le talent d'une personne, estimer les mérites d'un travail, d'une œuvre artistique ou d'une réalisation quelconque. Si le prix d'une propriété s'évalue en dollars, le talent s'évalue qualitativement au moyen d'expressions qui permettent de situer les personnes les unes par rapport aux autres : talent limité, moyen, supérieur, exceptionnel. Un projet s'évalue en fonction de ses chances de succès : il est intéressant, réalisable, utopique, voué à l'échec, etc.

La vie quotidienne fourmille d'exemples où l'on évalue des objets, des personnes, des situations. Avant d'acheter une maison, il faut en évaluer le prix ; il faut aussi évaluer ses propres moyens financiers. Avant de se lancer en affaires, l'entrepreneur évalue ses compétences, les besoins du marché, la conjoncture économique, etc. Avant de sélectionner un joueur, l'entraîneur d'une équipe sportive évalue les caractéristiques de son équipe et, ensuite, le talent, l'attitude et toutes les autres ressources du candidat qui pourrait s'y intégrer.

Ces exemples montrent que l'évaluation suppose un jugement de valeur porté sur un objet (ou une personne) au moment où l'on doit prendre une décision à son sujet. On peut certes faire une évaluation pour satisfaire la curiosité des gens ou pour répondre à un besoin naturel, comme lorsqu'on désigne les trois étoiles à la fin d'un match de hockey. Il n'en demeure pas moins qu'une évaluation s'impose surtout au moment de prendre une décision importante.

Ce qu'il faut surtout noter, c'est que l'évaluation est une démarche qui commence par une collecte d'informations sur l'objet à évaluer. Elle passe par une comparaison de cet objet avec un modèle quelconque qui peut être un objet similaire servant de point de repère, une représentation mentale servant de critère d'évaluation ou un état antérieur de ce même objet. On peut illustrer ce concept par l'exemple de l'achat d'une maison. Pour estimer le prix d'une maison, on doit tout d'abord la voir, l'examiner, noter son âge, son emplacement, son style, ses dimensions et toutes ses autres caractéristiques ; c'est l'étape de la collecte d'informations. On doit ensuite comparer cette maison observée sous tous ses angles à d'autres maisons déjà connues, plus grandes ou plus petites, plus récentes ou moins bien situées, plus ou moins élégantes, plus ou moins fonctionnelles, etc., mais dont on connaît le prix. On peut ensuite, sans trop de risques, se prononcer et classer cette maison dans une fourchette de prix réaliste.

L'évaluation est une démarche complexe, souvent individuelle et personnelle. Il faut en reconnaître la subjectivité et admettre qu'elle est généralement discutable, jusqu'à un certain point, d'autant plus que la situation est souvent complexe. Avant d'engager la bataille, un général doit évaluer ses forces et celles de l'ennemi. Il recueille le plus de renseignements possible, mais quelques-uns peuvent lui échapper. Il compare la situation présente à d'autres qu'il a déjà connues, mais les situations ne sont jamais tout à fait identiques. Finalement, il prend une décision. S'il a vu juste, il remporte la victoire et on le félicite. Sinon, il subit la défaite et on le blâme.

Quant à l'évaluation de l'apprentissage, elle met habituellement en scène une personne qui doit porter un jugement sur l'apprentissage fait par un élève en vue d'en déterminer l'étendue ou la qualité, particulièrement au moment de prendre une décision concernant cet élève. Évaluer l'apprentissage, ce sera se questionner dans le but d'estimer si l'élève a appris tout ce qu'il devait apprendre, comme il devait le faire. Cette évaluation s'effectuera d'abord par la collecte des informations pertinentes, puis par l'établissement de comparaisons.

Quel type d'informations doit-on ou peut-on recueillir? Que faut-il comparer et comment établir cette comparaison? À cette étape de l'évaluation, la situation se complique, car l'apprentissage que l'on veut évaluer est un changement interne, invisible, qui échappe à l'observation directe. On ne voit pas ce qu'il se passe dans le cerveau de la personne qui apprend. Le processus même n'est pas extériorisé, pas plus d'ailleurs que les résultats de ce processus: les connaissances acquises, les habiletés maîtrisées, les intérêts accrus, etc.

Heureusement, un grand nombre de changements qui se produisent intérieurement au cours de l'apprentissage se manifestent spontanément ou peuvent se manifester sur demande dans les comportements de la personne, c'est-à-dire par ses réactions extérieures, ses gestes et ses paroles. Cette constatation est essentielle dans l'évaluation de l'apprentissage, parce qu'elle oblige l'évaluateur à reconnaître l'importance de l'observation des comportements «visibles» pour évaluer les apprentissages «invisibles». Il n'y a rien de nouveau jusqu'ici. Depuis toujours, c'est en interrogeant l'élève qu'on vérifie ce qu'il sait, ce qu'il comprend, ce qu'il est. C'est en lui soumettant des problèmes à résoudre, en lui proposant des exercices pratiques, en lui faisant réaliser des projets qu'on juge de ses habiletés. C'est en épiant ses réactions qu'on note son intérêt ou son aversion pour différents types d'activités.

Les comportements qui feront l'objet de comparaisons constituent ce qu'on appelle la performance. Pour évaluer l'apprentissage d'une personne, on peut décider de comparer sa performance à celle des autres personnes de son groupe ; on fait alors une interprétation dite « normative ». On peut aussi comparer ses comportements à ceux qu'elle devrait afficher si elle avait atteint tous les objectifs poursuivis ou développé ses compétences au niveau souhaité ; on procède alors à une interprétation dite « critériée ». Enfin, on peut comparer différentes performances d'une même personne à divers moments de son apprentissage ; c'est ce que nous appellerons ici une interprétation « dynamique ». Nous reviendrons plus loin sur ces trois types d'interprétations.

L'enseignant devra toujours établir une distinction bien nette dans son esprit entre les deux faces correspondantes des apprentissages de ses élèves : d'une part, il y a les changements internes qui se produisent en eux lorsqu'ils apprennent, c'est-à-dire les compétences ; d'autre part, il y a les manifestations externes de ces changements, c'est-à-dire les performances par lesquelles les élèves montrent ce qu'ils ont appris ou appris à faire. C'est en ce sens que nous disons que la démarche évaluative suppose une inférence puisqu'on doit induire les compétences qui rendent possibles les performances que l'élève réalise lorsqu'il doit accomplir un certain nombre de tâches.

1.5 L'observation et la mesure

Cette distinction fondamentale entre la réalité interne et invisible de l'apprentissage et la réalité visible et observable des manifestations de cet apprentissage permet de comprendre la différence profonde entre l'évaluation et la mesure des apprentissages.

Quand on fait passer un test ou un examen à des élèves, on leur demande de faire quelque chose pour qu'ils montrent les connaissances qu'ils ont acquises, les habiletés qu'ils maîtrisent ou, de façon plus générale, les compétences qu'ils ont développées. On pose des questions auxquelles les élèves doivent répondre oralement ou par écrit ; on leur propose un problème dont ils doivent fournir la solution ; on les invite à exécuter une action qui pourra être ensuite analysée ; on leur demande de réaliser un projet. Les réponses orales ou écrites des élèves, les solutions qu'ils trouvent, les travaux qu'ils remettent, le projet qu'ils présentent sont autant de performances qu'on peut utiliser comme informations pour effectuer des comparaisons et, par la suite, porter un jugement.

Dans certains cas, l'observation directe fournit une information suffisante et interprétable. Par exemple, s'il s'agit de vérifier si un élève inscrit en formation professionnelle est capable d'effectuer une soudure, on pourra lui demander d'en faire une en atelier et la comparer avec un modèle ou avec d'autres soudures. Dans ce cas, c'est l'observation directe qui est la source d'informations. Dans d'autres cas, on préférera recueillir des informations de nature quantitative. On pourra, par exemple, considérer le nombre d'interventions en classe pour évaluer la participation d'un élève, ou le nombre de réponses correctes à des questions à choix multiple portant sur l'histoire pour savoir si les connaissances relatives à certains événements sont acquises. Il est également possible de transformer en informations quantitatives les informations obtenues d'abord par une observation directe. On pourra, par exemple, additionner les cotes attribuées sous diverses rubriques en observant une performance, comme un exposé oral, ou donner des points pour chacune des idées émises dans un texte afin d'obtenir un résultat global à interpréter. Ce score global constitue une mesure.

Par ailleurs, l'opération qui consiste à constituer un résultat en additionnant des points ou à obtenir un indice quantitatif s'appelle aussi mesure. Il est évident que la mesure est une opération qui existe depuis longtemps en milieu scolaire et qui, de ce fait, appartient à une certaine culture de l'évaluation. Il est cependant important de rappeler les limites d'une opération de mesure. En effet, une mesure ne peut pas avoir la même précision en éducation (comme dans les sciences humaines en général) que dans les sciences exactes, où l'objet à mesurer présente des caractéristiques concrètes qu'on peut décrire très exactement à l'aide d'unités de mesure universellement reconnues.

Mesurer un meuble et en donner les dimensions exactes ne présentent généralement pas de difficultés majeures. Mais prétendre mesurer les connaissances, les habiletés, les intérêts, et les représenter quantitativement par un symbole numérique qui correspond à la réalité, est une autre histoire. Une table se voit, se touche. Mais le vocabulaire d'une personne, les mots qu'elle comprend en lisant, par exemple, sont beaucoup plus difficiles à quantifier : les mots ne se voient pas, ne se touchent pas. Qui plus est, le nombre de mots relevés dans un test de vocabulaire reste une indication bien imparfaite du développement du vocabulaire d'un individu. Bien que mesurer une table et mesurer le vocabulaire d'une personne ne soient évidemment pas des opérations du même ordre, les deux démarches se ressemblent assez pour que, dans les deux cas, on utilise le même terme. Si l'on veut décrire une table en fonction de ses dimensions réelles, on utilise un ruban à mesurer, on l'applique directement contre la table et on enregistre le nombre d'unités. Si l'on veut décrire quantitativement le vocabulaire d'une personne, on lui fait passer un test de vocabulaire, on accorde un point à chaque item réussi et on additionne les points obtenus. Dans le premier cas, les nombres représentent les résultats d'une mesure directe ; dans le second, les nombres représentent les résultats d'une mesure indirecte, approximative. À la différence des centimètres qui se trouvent sur un ruban à mesurer, les unités qu'on additionne dans la mesure des apprentissages n'ont pas nécessairement toutes la même valeur et ne contribuent pas toutes de la même manière à la qualité de l'indice quantitatif qu'on essaie de construire.

Nous pouvons donc affirmer que la mesure de l'apprentissage ne peut être qu'une mesure approximative, indirecte, qui utilise les manifestations de l'apprentissage, les comportements verbaux ou non verbaux, pour composer des indices du changement interne. Il peut arriver que les compétences qu'on cherche à développer ne se manifestent pas par des performances observables ; il peut aussi arriver que les performances, bien qu'elles soient observables, ne se prêtent pas à la mesure. Il n'en reste pas moins qu'on n'a d'autre choix que de se baser sur des observations ou des mesures pour évaluer les apprentissages. En d'autres termes, l'observation (de nature qualitative) ou la mesure (de nature quantitative) précèdent toujours la comparaison et le jugement. On nomme donc les instruments qu'on élabore dans le cadre d'une démarche d'évaluation « instruments d'observation » ou « instruments de mesure », selon la nature de l'information à produire.

1.6 Le modèle d'apprentissage

Les principes énoncés jusqu'ici peuvent se résumer comme suit :

- L'apprentissage doit être perçu avant tout comme un changement interne qui se produit chez la personne et qui peut prendre des formes variées.

- Cet apprentissage interne se manifeste extérieurement par des performances observables au cours de la réalisation de certaines tâches.

- L'évaluation de l'apprentissage porte sur les indices du changement interne, sur les performances qui, en principe, doivent logiquement correspondre aux compétences visées.

- La mesure de l'apprentissage fournit des indices quantitatifs qui permettent de juger les apprentissages réalisés, alors que l'observation directe est plus qualitative.

Il faut non seulement comprendre chacun de ces principes, mais voir aussi comment ils s'agencent pour former un ensemble cohérent. La représentation graphique d'un modèle d'apprentissage basé sur l'idée maîtresse de changement peut nous aider à faire le point.

Le schéma reproduit dans la figure 1.2 montre que, dans toute situation d'apprentissage, on trouve trois éléments essentiels : des compétences à développer, des stratégies appropriées pour les développer et, finalement, des performances qui révèlent plus ou moins exactement la qualité des compétences. Ce modèle permet d'illustrer les relations qui unissent ces trois éléments et d'introduire quelques notions connexes. Il faut donc l'examiner d'un peu plus près.

1.6.1 Les compétences

Les compétences, inscrites dans le rectangle de gauche de la figure 1.2, se définissent, nous l'avons déjà dit, comme la description du changement qu'on souhaite voir chez les élèves. Elles constituent la base même de toutes les activités pédagogiques qui seront organisées en cours d'apprentissage.

Toutefois, comme c'est l'élève qui doit changer et que l'enseignant ne peut que le guider dans ce changement, il faut que les deux se mettent d'accord sur le sens des compétences visées et sur les éléments qui les composent. On doit veiller à formuler des compétences de façon à ce qu'elles soient clairement comprises par l'enseignant, qui les communiquera aux élèves et en discutera avec eux en employant un langage non équivoque. Il en va de même pour les stratégies à mettre en œuvre dans le but de développer ces compétences ; ces stratégies doivent aussi faire l'objet d'une communication entre les élèves et l'enseignant.

1.6.2 Les stratégies

Selon la formulation des compétences et des éléments qui les composent, il faut exécuter ce qui a été planifié, c'est-à-dire mettre en œuvre les stratégies les plus appropriées pour atteindre le niveau de développement espéré. C'est pourquoi, dans la grande flèche du centre de la figure 1.2, on peut inscrire toutes les stratégies que l'élève et son enseignant adoptent pour parvenir à leurs fins : conditions de travail, technologies, méthodes, matériel didactique, interactions avec les autres élèves, etc.

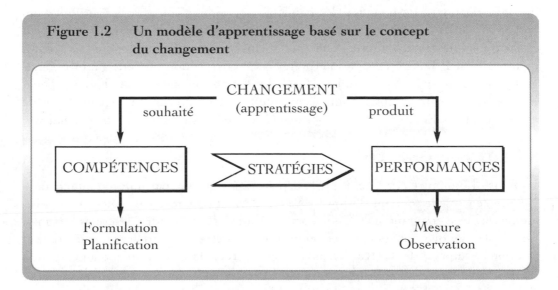

Figure 1.2   Un modèle d'apprentissage basé sur le concept du changement

Il faut exploiter les ressources qui s'offrent au groupe, les compétences déjà en place, l'expérience de chacun.

De plus, il faut comprendre que des moyens demeurent toujours des moyens et qu'ils doivent être subordonnés aux compétences visées. En conséquence, il faut régulièrement vérifier si les stratégies contribuent efficacement au développement des compétences. Cette vérification, que nous appelons « régulation », est une forme d'évaluation qui se déroule au cours de l'apprentissage. De ce point de vue, elle est étroitement associée à la didactique, qu'on peut définir comme l'art et la science de choisir ou de trouver, avec et pour les élèves, les moyens les plus appropriés, les conditions de travail les plus propices, les approches méthodologiques les plus efficaces pour développer les compétences visées.

1.6.3 Les performances

À un certain moment, l'enseignant présume que le changement interne suscité ou favorisé par les stratégies appropriées s'est produit chez l'élève, que l'apprentissage souhaité a eu lieu. Il suppose que le niveau de compétence escompté a été atteint ou que les stratégies ont favorisé la maîtrise des habiletés, l'acquisition des connaissances ou la transformation des attitudes qui font partie d'une compétence. Comment vérifier cette présomption ? Comment établir le degré de correspondance entre le changement produit et le changement souhaité ? En appliquant la démarche d'évaluation, bien sûr !

Pour ce faire, il faut placer l'élève dans une situation où il aura à réaliser une tâche qui lui demandera de mobiliser les habiletés, les connaissances et les attitudes qui composent les compétences visées. C'est l'étape de la collecte d'informations, qui peut se faire par une observation directe (plutôt qualitative) ou par une mesure (plutôt quantitative). Il faudra ensuite interpréter cette observation ou cette mesure, c'est-à-dire la comparer à d'autres objets afin de lui donner du sens. C'est alors que l'évaluateur (examinateur, enseignant, élève, etc.) pourra porter un jugement sur le changement. La figure 1.3 illustre la séquence des étapes de la démarche évaluative.

1.6.4 La communication

La figure 1.3 montre également que la démarche se termine par une communication. En effet, comme le soutient Barlow (1992) en parlant du langage de l'évaluation, évaluer, c'est aussi communiquer. Cette communication peut prendre différentes formes. Quand il s'agit de régulation, la communication doit être une rétroaction immédiate et informelle auprès de l'élève. Dans d'autres circonstances, cette communication pourra s'effectuer de façon plus formelle en transmettant une note à l'élève ou en organisant une rencontre entre les parents, l'élève et l'enseignant, par exemple. Hadji (1989, p. 100) va jusqu'à dire que la difficulté en évaluation « n'est pas de trouver la vraie valeur d'un produit, mais de pouvoir communiquer, d'une façon claire, un jugement porté sur le degré de réalisation d'un projet précis ». Certains chercheurs considèrent même l'évaluation « comme une interaction, un échange, une négociation entre un évaluateur et un évalué, sur un objet particulier, dans un contexte social donné » (Weiss, 1991, p. 6).

Selon le modèle proposé, le centre des préoccupations de l'enseignant est l'élève qui est en train de vivre un changement. Le rôle de l'enseignant est de l'aider à changer dans le sens des compétences visées. Le rôle de l'élève, c'est de profiter de cette aide et de travailler lui-même activement au développement de ces mêmes compétences. Par ailleurs, la démarche d'évaluation commence par une étape de planification : c'est à ce moment-là qu'on détermine ce qu'il faut évaluer, le but de cette évaluation et la personne qui la mène. De plus, cette démarche doit normalement conduire à une prise de décision.

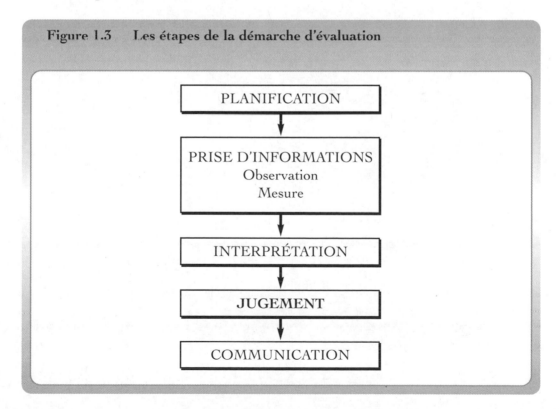

Figure 1.3   Les étapes de la démarche d'évaluation

Les objectifs pédagogiques et les compétences

Après avoir décrit la démarche évaluative au regard de la nature de l'apprentissage, nous présentons dans ce chapitre les principes qui sous-tendent la formulation des objectifs ou des compétences. Cela nous apparaît important, car c'est grâce à ces principes qu'on peut déterminer l'objet à évaluer. Il est impensable d'arriver à une évaluation juste si ce qu'on cherche à évaluer n'a pas été convenablement défini. De plus, la façon dont on présente le changement attendu est en partie liée à une vision de l'apprentissage qui doit se refléter dans le type d'évaluation qu'on fera. Nous présenterons, dans un premier temps, les principes relatifs à la formulation des objectifs pédagogiques et, dans un deuxième temps, ceux relatifs à l'élaboration des compétences. Il apparaît utile de procéder ainsi, car, malgré une tendance à remplacer les programmes par objectifs par des programmes par compétences, de nombreux systèmes de formation utilisent encore le concept d'objectif pédagogique. De plus, nous ne croyons pas que le passage à des programmes par compétences constitue en soi un changement aussi radical qu'on le laisse entendre parfois, même s'il ne faut pas minimiser les conséquences d'un tel passage.

Ce qui nous semble le plus significatif dans la plupart des réformes qui sont en cours dans les pays occidentaux, c'est la volonté de voir se développer des savoir-faire plus adaptés aux exigences de notre siècle. Or, notre préoccupation ne consiste pas ici à déterminer les objectifs ou les compétences d'un système scolaire, d'une école, d'un programme d'études ou d'un cours particulier, ni de décider si ces choix correspondent au stade de développement d'une catégorie d'apprenants donnée. Ces questions relèvent davantage de la philosophie de l'éducation, de la psychologie de l'apprentissage et des didactiques particulières. Ce qui nous intéresse, pour le moment, c'est la manière de rédiger et d'articuler les attentes relatives aux apprentissages à réaliser, le plus clairement possible, afin de pouvoir les évaluer de façon appropriée. Il est important pour les enseignants de maîtriser cet art : ils pourront ainsi comprendre le mode d'organisation des programmes proposés, et aussi concevoir eux-mêmes des formations particulières ou des séquences d'enrichissement.

2.1 Les objectifs pédagogiques

La formulation des objectifs pédagogiques concerne tout aussi bien les objectifs affectifs et psychomoteurs que les objectifs cognitifs, même si les exemples que nous donnons appartiennent surtout au domaine cognitif. Nous distinguerons d'abord les objectifs généraux des objectifs spécifiques ; nous soulignerons ensuite les rôles complémentaires de ces deux types d'objectifs et essaierons de les situer par rapport à la distinction entre objectifs terminaux et objectifs intermédiaires.

Qu'ils soient cognitifs, affectifs ou psychomoteurs, les changements souhaités en éducation peuvent être décrits en termes très généraux ou en termes relativement plus précis. Ainsi, l'expression « amener un enfant à développer tous les aspects de sa personnalité » décrit en termes très généraux le type de formation générale qu'on veut lui offrir, tandis que l'expression « maîtriser, dès les premières années d'école, les tables de multiplication » décrit en termes plus précis un apprentissage mieux défini.

Plusieurs auteurs reconnaissent trois niveaux de généralité. Ainsi en est-il, entre autres, de Viviane et Gilbert de Landsheere (1980), de Krathwohl et ses collaborateurs (1976) et de de Corte, Gurligs, Lagerweij et Peters (1976), qui adoptent une classification en trois grands niveaux qu'ils utilisent comme cadre général de leur étude :

- les finalités et les buts de l'éducation ;

- les objectifs définis selon les grandes catégories de l'apprentissage, c'est-à-dire les taxonomies ;

- les objectifs opérationnels.

Les éléments qui composent le premier niveau reflètent certains choix de société et traduisent les orientations générales d'un système éducatif (les finalités de chaque ordre d'enseignement, par exemple) ou celles d'un établissement (les buts poursuivis dans un projet éducatif, par exemple). Dans le cadre de formations plus courtes (comme un stage de perfectionnement), il s'agira essentiellement de préciser le but de la formation. Par ailleurs, on pourrait ajouter la mission de l'école à ce niveau. En réalité, cette division en trois niveaux basés sur la généralité, le contexte et la portée paraît assez arbitraire. On pourrait tout aussi bien considérer, comme nous l'avons fait dans le chapitre précédent (voir la figure 1.1, page 11), qu'en amont des finalités, on doit trouver la mission de l'école et, ainsi, créer un niveau supplémentaire. Le deuxième niveau correspond aux objectifs généraux, c'est-à-dire à des résultats d'apprentissage qui, comme on le verra, ne sont pas directement observables ni mesurables. Le troisième niveau correspond aux objectifs spécifiques, l'expression « opérationnels » étant un synonyme qui permet d'insister sur le fait que les objectifs spécifiques servent à définir de façon observable et mesurable, c'est-à-dire en termes opérationnels, ce que sous-tend le niveau précédent. On pourrait aussi décider de distinguer plusieurs niveaux de spécificité en parlant, par exemple, des objectifs opérationnels d'une année, de ceux d'une étape, de ceux d'une leçon, etc.

Au-delà du nombre de niveaux qu'on distingue, ce qu'il importe de constater, c'est que tout objectif de formation ou d'apprentissage peut se situer sur un continuum où l'on trouve, à une extrémité, des objectifs très généraux, à l'autre, des objectifs très spécifiques et, entre les deux, un nombre indéterminé de points intermédiaires où s'insèrent des objectifs moins généraux que les premiers et moins spécifiques que les derniers. En pratique, ce qui compte davantage pour l'enseignant, ce sont les objectifs généraux et les objectifs spécifiques. C'est la raison pour laquelle, dans les pages qui suivent, nous nous concentrerons sur ces deux niveaux de spécificité. Dans les deux cas, il ne s'agit pas de décrire les activités d'apprentissage ni les intentions de l'enseignant, mais plutôt de décrire le plus clairement possible ce que l'élève sera capable de faire à la fin de la séquence d'apprentissage. Dans une démarche de planification par objectifs, une fois le premier niveau connu, on procédera de façon déductive en se demandant, au moment de la formulation des objectifs généraux, par quels apprentissages les finalités et les buts devraient se traduire. On se demandera ensuite, au moment de la formulation des objectifs spécifiques, de quelle façon ces apprentissages devraient se manifester concrètement.

2.1.1 Les objectifs généraux

Pour formuler correctement des objectifs généraux, on doit s'interroger sur le niveau de profondeur du changement interne à produire. Ainsi, au niveau le plus élémentaire d'un apprentissage cognitif portant sur un contenu donné, on ne visera que des opérations intellectuelles de base, comme connaître ou comprendre ; par contre, dans un apprentissage plus approfondi, on pourrait vouloir développer le sens critique ou la créativité. Formuler un objectif général, c'est donc associer un élément de contenu à un verbe d'une taxonomie. Par exemple :

- connaître telles notions ;
- comprendre tels principes ;
- développer telles habiletés ;
- accroître l'intérêt pour telles activités, etc.

Nous illustrerons la définition des objectifs généraux par deux exemples.

A. Premier exemple

On peut prendre comme exemple un cours de sciences humaines qui vise à sensibiliser les élèves au passé et à l'influence que celui-ci exerce sur leur vie. Ce changement interne souhaité peut s'exprimer dans les objectifs généraux d'un cours d'histoire au secondaire, objectifs qui seront d'amener les élèves à :

- connaître certaines civilisations du passé et du présent ;

- comprendre le lien qui existe entre l'histoire et la réalité quotidienne ;

- comprendre l'évolution des techniques et des organisations inventées par l'homme au cours des siècles pour satisfaire ses besoins essentiels ;

- se situer dans le temps par rapport à certains événements ;

- comprendre les fondements de l'histoire comme science.

B. Deuxième exemple

Un grand nombre de cours de langues, de mathématiques et de sciences visent à la fois l'acquisition de connaissances et la maîtrise d'habiletés. Les objectifs généraux de ces cours ressemblent à ceux du cours de chimie au secondaire, où on tente d'amener les élèves à :

- connaître des phénomènes chimiques ;

- comprendre la structure de la matière ;

- appliquer, pour résoudre des problèmes en chimie, la méthode scientifique adoptée par les chimistes ;

- appliquer les connaissances acquises en chimie aux autres sciences et à la vie courante ;

- appliquer des techniques telles que l'utilisation correcte des instruments ;

- appliquer des processus cognitifs tels que la démarche expérimentale, la résolution de problèmes, l'expression exacte et claire de ses idées.

Dans ces deux exemples, nous ne présentons que des objectifs cognitifs. Pourtant, il arrive souvent que l'enseignant vise également des objectifs d'ordre affectif sans qu'il ne les explicite. Comme ces objectifs peuvent être encore plus importants dans la formation de l'élève que les objectifs cognitifs (Morissette, Gingras, 1989), il conviendrait donc, dans les exemples précédents, d'ajouter qu'à la fin du cours les élèves seront capables de :

- réagir avec intérêt durant un cours d'histoire;

- recevoir efficacement les messages qui traitent de la responsabilité quant aux conséquences économiques, sociales, culturelles et morales de la chimie contemporaine.

Le rôle des objectifs généraux est de donner une vue d'ensemble du cours, d'exposer les grandes lignes du contenu qu'on veut faire acquérir, des habiletés, des intérêts et des habitudes qu'on veut développer. Comme ils décrivent le changement interne à opérer, ils comportent un certain degré d'abstraction.

2.1.2 Les objectifs spécifiques

Nous désignerons sous l'appellation « objectifs spécifiques » les objectifs plus explicites, plus concrets, qui viennent clarifier le message véhiculé par les objectifs généraux. Comme nous les voulons vraiment concrets, nous les exprimons dans des termes qui décrivent des comportements observables ou mesurables. L'intérêt des objectifs spécifiques réside dans le fait qu'ils favorisent une compréhension univoque de ce qui est attendu de la part des élèves à la fin de la séquence d'apprentissage et qu'ils facilitent la conception des instruments d'observation ou de mesure.

Étant donné la nature de ces objectifs, on peut les qualifier, comme nous l'avons dit, d'objectifs « opérationnels ». Les objectifs spécifiques fournissent, en effet, une définition opérationnelle d'un changement qui n'est pas visible. On peut aussi parler d'objectifs « comportementaux », car il s'agit précisément de décrire des comportements. Ces derniers sont susceptibles d'apparaître lorsque s'est produit le changement interne décrit par l'objectif général qui les englobe. Par comportement, nous entendons, notamment, tout ensemble de gestes, de réactions, de mouvements et de paroles qui permet de juger si un apprentissage déterminé s'est réalisé. Autrement dit, formuler des objectifs spécifiques dans des termes qui décrivent des comportements signifie énumérer des ensembles de choses qu'une personne doit être capable de dire, de nommer, de définir ou d'énumérer, et qu'elle devrait être en mesure de faire, d'écrire, de démontrer, de réaliser ou d'effectuer pour prouver que l'apprentissage qu'elle cherchait à faire a été effectivement réalisé.

La description du programme de sécurité aquatique de la Croix-Rouge canadienne offre un bel exemple de comportements qui deviennent des objectifs spécifiques. Ce programme vise le développement d'habitudes de sécurité et d'habiletés en natation. Il comprend huit étapes d'apprentissage, chacune couronnée par l'obtention d'un insigne de couleur jaune, orange, rouge, marron, bleue, verte, grise ou blanche. Les objectifs spécifiques à atteindre sont définis comme des comportements observables et mesurables qui en facilitent la compréhension et l'évaluation. Ainsi, pour réussir la première étape du programme — obtenir l'insigne jaune et passer à l'étape suivante —, le jeune enfant doit être capable :

- d'entrer dans l'eau et d'en sortir ;
- de marcher dans l'eau ;
- de se mouiller le visage ;
- d'ouvrir les yeux dans l'eau ;
- de retenir son souffle et d'expirer sous l'eau ;
- de flotter sur le ventre quelques instants avec l'assistance du moniteur.

Les autres étapes de l'apprentissage de la natation sont décrites de la même façon. Les comportements énumérés — de plus en plus complexes et exigeants — permettent de suivre, très concrètement, l'apprentissage des habiletés nécessaires pour savoir nager.

Les objectifs spécifiques d'apprentissage, parce qu'ils sont spécifiques, sont toujours propres à un contenu particulier, à une unité d'apprentissage bien identifiée. C'est pourquoi il importe de préciser chaque fois : « Au terme de tel chapitre, à la fin de telle leçon, de telle étape du programme, voici tout ce que l'enfant devrait être capable de faire. » Nous illustrerons ce point à l'aide de deux exemples.

A. Premier exemple

On peut considérer le premier chapitre d'un cours de géométrie portant sur les éléments de base en géométrie analytique.

OBJECTIFS GÉNÉRAUX

Amener les élèves à :

- comprendre la notion de repérage d'un point dans un plan ;
- connaître les notions relatives au segment et à la droite ;
- comprendre les relations de parallélisme et de perpendicularité entre deux droites.

OBJECTIFS SPÉCIFIQUES

À la fin de ce chapitre, l'élève devrait être capable :

- d'indiquer sur un graphique l'axe des x et l'axe des y, l'abscisse et l'ordonnée d'un point ;

- de donner les coordonnées d'un point dans un système d'axes non perpendiculaires et dans un système d'axes perpendiculaires;

- de placer des points dans un système d'axes non perpendiculaires et dans un système d'axes perpendiculaires;

- d'indiquer le quadrant dans lequel est situé un certain point;

- de tracer différentes sortes de figures géométriques à l'aide de points situés dans le plan;

- de calculer les coordonnées d'une extrémité d'un segment, connaissant les coordonnées du point milieu et de l'autre extrémité de ce segment;

- de donner les coordonnées des extrémités d'un segment;

- de calculer les coordonnées du point milieu d'un segment;

- de calculer la longueur d'un segment;

- d'indiquer sur le graphe d'une droite si la pente est positive, négative, nulle ou inexistante;

- de calculer la pente d'une droite, connaissant deux points de cette droite, etc.

B. Deuxième exemple

L'exemple ici est un chapitre d'un manuel portant sur l'alimentation des jeunes du primaire.

OBJECTIFS GÉNÉRAUX

Les objectifs généraux de ce thème consistent à amener l'élève à:

- connaître les aliments;

- connaître la nature des aliments;

- connaître les différents endroits où l'on se procure des aliments;

- comprendre la signification du prix des aliments et du pouvoir d'achat représenté par une certaine somme;

- connaître les différents métiers dans le domaine de l'alimentation;

- connaître ses besoins alimentaires pour pouvoir s'alimenter sainement.

OBJECTIFS SPÉCIFIQUES

Au terme de l'étude de ce thème, l'élève devrait être en mesure :

- de nommer des aliments ;

- de classifier les aliments selon leur nature ;

- d'associer des aliments à leur origine animale, végétale ou minérale ;

- d'associer les aliments et leur origine ;

- de nommer des endroits où l'on se procure les aliments consommés qui sont à la maison ;

- de donner des exemples d'aliments que l'on se procure dans des endroits spécifiques ;

- d'estimer le coût de certains aliments ;

- de trouver la différence entre les coûts de certains aliments ;

- de nommer des aliments que l'on peut acheter avec 1 $, 5 $, 10 $;

- de donner des explications aux variations de prix de certains aliments selon les périodes de l'année, etc.

2.1.3 Les objectifs terminaux et intermédiaires

Par souci de simplicité, nous avons utilisé jusqu'ici une terminologie réduite à sa plus simple expression où nous ne reconnaissions que deux façons de classer les objectifs :

1. selon la nature des apprentissages (cognitifs, affectifs ou psychomoteurs) ;

2. selon la spécificité plus ou moins grande des attentes (générales ou spécifiques).

Cependant, nous pouvons envisager de les classer en fonction d'une certaine séquence d'apprentissage et de les ordonner chronologiquement, selon qu'ils représentent des points d'arrivée dans le déroulement de l'apprentissage ou qu'ils correspondent à des étapes intermédiaires. Nous parlerons dès lors d'objectifs terminaux pour désigner les premiers et d'objectifs intermédiaires pour désigner les seconds.

Cette façon de classer a été utilisée par le ministère de l'Éducation du Québec (MEQ) dans la construction des programmes par objectifs élaborés au début des années 1980. Il n'était pas clair si les objectifs terminaux et intermédiaires étaient des objectifs généraux ou des objectifs spécifiques. Toutefois, un document ministériel établissait que les objectifs qui serviraient à préciser les objectifs généraux seraient des objectifs terminaux et des objectifs intermédiaires. Le texte disait simplement : « Dans l'ordre de leur explicitation ou de leur spécificité, ces objectifs généraux se développent alors en objectifs terminaux et en objectifs intermédiaires » (Ministère de l'Éducation du Québec, 1980a, p. 16). On voulait indiquer que certains objectifs devaient être atteints avant d'autres, qu'ils devaient être considérés comme des étapes nécessaires pour atteindre un but déterminé. On cherchait ainsi, probablement, à introduire l'idée d'une séquence pédagogique selon laquelle les objectifs devaient être ordonnés.

2.2 Les compétences

2.2.1 Les limites des programmes par objectifs

Une des difficultés que pose la formulation des objectifs est le fait qu'il faille réduire en quelques énoncés relativement clairs et succincts un apprentissage souvent complexe et dont certains mécanismes nous échappent. Devant ce caractère réductionniste inhérent à la formulation des objectifs tels que nous les avons présentés, plusieurs chercheurs ont tenté d'en préciser le contexte de réalisation. Même Mager (1962), qui considérait pourtant que les objectifs spécifiques suffisaient à décrire les apprentissages, admettait qu'il fallait parfois préciser des conditions dans lesquelles les comportements peuvent se produire. D'Haineaut (1980) a proposé une démarche de conception d'objectifs pédagogiques beaucoup plus développés ; les objectifs doivent fournir des renseignements sur la façon dont se réalise le comportement : à quel endroit, avec quels acteurs, dans quelles circonstances, avec quels moyens, etc. Cette façon de procéder n'est pas sans rappeler la formulation des compétences telle qu'on la présente depuis quelques années.

Outre les conditions, il est aussi apparu nécessaire de prévoir l'ajout d'un critère de réussite parmi les renseignements complémentaires. En effet, il n'est pas toujours facile de déterminer si un objectif a été atteint ou non. Par exemple, à quel moment doit-on considérer qu'un stagiaire en bureautique possède des habiletés en dactylographie qui lui permettent d'être fonctionnel ? Il peut être nécessaire d'établir qu'on attend une vitesse de 30 mots à la minute, et même de préciser qu'on ne doit pas trouver plus d'une erreur de frappe par ligne. Dans d'autres cas, on peut fixer un résultat minimal pour décider que l'objectif est atteint (8 réponses correctes sur 10, par exemple) ou se contenter d'une indication qui peut être « de manière satisfaisante ». Ce besoin de préciser un critère fait ressortir une limite de l'approche par objectifs, limite qui découle d'une vision que nous pourrions qualifier de « dichotomique ». En effet, si l'objectif n'est pas atteint, c'est-à-dire si la performance ne satisfait pas au critère, on doit conclure que l'apprentissage escompté n'a pas été réalisé et considérer qu'il ne s'est rien passé. Or, on sait que toute expérience nouvelle change, de façon plus ou moins marquée, les individus. Comment tenir compte du fait que l'élève est en voie d'atteindre les objectifs visés ou n'a pas produit une performance qui correspond à ce qui était prévu ?

Ce problème est en partie lié à une division de l'apprentissage en parcelles et au fait qu'on n'a pas toujours prévu la capacité de l'élève d'intégrer toutes les parcelles en un tout. Tout enseignant d'expérience sait toutefois qu'il ne suffit pas de faire la somme des parties. Certains élèves peuvent maîtriser chacune des habiletés visées dans une section d'un programme sans nécessairement être capables d'exploiter l'ensemble de ces habiletés, sans nécessairement pouvoir faire face à une situation complexe. Par exemple, en natation, c'est une chose que de faire les bons mouvements de bras en brasse, puis les bons mouvements de pieds, puis ceux de la tête et, finalement, de maîtriser sa respiration ; c'en est une autre que de traverser une piscine olympique à la brasse en synchronisant tous ces mouvements. Même en prévoyant des objectifs terminaux qui supposent l'intégration des connaissances, des habiletés et des attitudes, le risque d'une certaine atomisation des apprentissages est réel. De fait, quand on analyse les programmes par objectifs proposés par le MEQ dans les années 1980, on constate que ce sont des milliers d'objectifs qu'on demandait d'atteindre sans s'intéresser systématiquement aux apprentissages qui amènent les élèves à intégrer ces objectifs ou à transférer certains apprentissages réalisés dans l'atteinte d'un objectif donné à d'autres objectifs.

Le risque d'atomisation pose un problème d'autant plus sérieux qu'il semble y avoir une tendance dans les milieux éducatifs à se concentrer sur les objectifs cognitifs qui sont liés à des opérations intellectuelles de bas niveau, c'est-à-dire, pour se référer à la taxonomie de Bloom, à des apprentissages de type « acquisition de connaissances » ou « compréhension ». On peut sans doute y voir le résultat d'approches pédagogiques centrées sur la transmission de savoirs. On peut cependant y voir aussi l'influence de certaines pratiques évaluatives. En effet, les apprentissages du domaine cognitif qui font appel à la mémoire, à des explications simples ou à l'application automatique de formules sont beaucoup plus faciles à évaluer. Il est, par exemple, plus simple d'évaluer l'application des règles d'accord dans des phrases lacunaires que la production d'un texte poétique. En se concentrant sur ce qui est plus facile à évaluer, les pratiques évaluatives ont peut-être contribué à une simplification des apprentissages scolaires puisqu'on finit souvent par enseigner ce qu'on évalue. C'est pourquoi, au cours des dernières années, on a vu plusieurs chercheurs lancer un signal d'alarme en soulignant la nécessité d'introduire dans l'école des savoirs complexes tels que l'analyse, la créativité ou la pensée critique. Même si la taxonomie de Bloom englobait ces savoirs dans ses trois derniers niveaux (analyse, synthèse et évaluation), il semble bien que, dans les pratiques courantes, on ait mis l'accent sur les niveaux inférieurs (acquisition, compréhension et application).

2.2.2 L'évolution des programmes par compétences

C'est dans ce contexte que s'est développé le courant des programmes par compétences. Il faut cependant signaler que l'idée de programmes par compétences ne date pas d'hier. À la fin des années 1970, après plus d'une décennie au cours de laquelle les résultats des élèves américains au test du SAT (*Scholastic Aptitude Test*) n'avaient cessé de décroître, les responsables de différentes agences américaines qui s'occupaient de l'éducation ont fait appel à des chercheurs pour trouver une solution. Il faut préciser que le SAT est un test standardisé qui est utilisé à grande échelle, à différents moments du parcours scolaire ; les résultats médiocres constatés à la fin de l'école secondaire pouvaient être perçus comme l'indication de l'échec du système d'éducation aux États-Unis. Les chercheurs consultés, dont plusieurs étaient des spécialistes en évaluation, proposèrent alors la notion de compétences minimales (Jaeger, 1982). Il s'agissait essentiellement d'établir des standards de compétences que tous les élèves devaient atteindre à la fin de leurs études secondaires. La formulation de ces standards s'apparentait souvent à celle des objectifs pédagogiques, mais l'accent était mis sur des savoir-faire. En évoluant, ce mouvement a conduit à l'établissement de standards qui servent de référence pour rendre compte de l'efficacité des systèmes d'éducation des divers États américains depuis quelques années (Marzano, Pickering et McTighe, 1993).

La construction de programmes par compétences ne constitue pas en soi une rupture par rapport à la formulation des objectifs. Perrenoud (1995) signale que ce courant poursuit la tendance à récrire les programmes sur la base d'objectifs à maîtriser et de socles de compétences, soit des ensembles de savoir-faire jugés indispensables aux apprentissages ultérieurs et à l'insertion sociale. Dans certains programmes par compétences de base, on parle même d'objectifs d'intégration qui regroupent plusieurs compétences (de Ketele, 1993). C'est peut-être le flou même de la notion de compétence qui a permis le développement de programmes par compétences d'inspirations diverses. Malgré leur variété, ces programmes ont comme caractéristique commune d'éviter l'atomisation des apprentissages inhérente aux programmes par objectifs en décrivant des apprentissages qui permettent d'agir dans différentes situations.

La notion de compétence origine notamment du domaine de la didactique des langues et de celui de la formation professionnelle. En langue, Canale (1981) distinguait, par exemple, les compétences linguistique, sociolinguistique, stratégique et discursive. Dans le domaine de la formation professionnelle, le Québec a rapidement défini des programmes par compétences en soulignant la transférabilité de ces compétences (Ministère de l'Éducation du Québec, 1993). Par la suite, l'approche a été adaptée pour redéfinir le curriculum dans les collèges, sur le plan de la formation technique comme sur celui de la formation générale; on a alors tenu compte des progrès dans les théories cognitivistes sur l'apprentissage (Désilets, Brassard, 1994). Dix ans plus tôt, Tourneur (1985) avait cependant rappelé l'importance, en ce qui a trait à l'évaluation finale, de distinguer les compétences scolaires des compétences professionnelles. Pour ce qui est de la formation des jeunes, le MEQ avait déjà proposé quelques programmes par compétences, notamment en français, quand a soufflé le vent de la réforme qui a amené une nouvelle vision des compétences.

2.2.3 Le nouveau curriculum du MEQ

Le nouveau programme du MEQ pour la formation des jeunes définit une compétence comme un savoir-faire complexe fondé sur la mobilisation et l'utilisation efficaces d'un ensemble de ressources. Cette définition est sensiblement celle qu'on trouve dans la plupart des programmes par compétences (Le Boterf, 1999). On peut penser que c'est le désir de voir les élèves acquérir non seulement des connaissances déclaratives mais aussi des connaissances procédurales et conditionnelles de haut niveau qui a motivé le ministère à proposer, à l'instar de plusieurs autres systèmes d'éducation, un programme construit par compétences. De ce point de vue, la nouveauté tient peut-être davantage à l'approche préconisée qu'à l'organisation du contenu. Comme nous l'avons signalé dans le chapitre précédent, le nouveau programme proposé par le MEQ s'inscrit dans une perspective constructiviste. Selon les documents officiels (Ministère de l'Éducation du Québec, 2002, p. 5), l'apprentissage « est favorisé de façon toute particulière par des situations qui représentent un défi réel pour l'élève, c'est-à-dire des situations qui entraînent une remise en question de ses connaissances et de ses représentations personnelles ». Il s'agit d'une construction parce que les savoirs se développent à partir des savoirs déjà existants. En d'autres termes, par ses expériences personnelles, l'apprenant modifie ses représentations de la réalité pour les raffiner et les ajuster aux caractéristiques de son environnement. En ce sens, tout individu, en se construisant lui-même, construit le monde dans lequel il veut s'intégrer. Cela implique que l'élève joue un rôle actif dans le processus de ses apprentissages et que ceux-ci seront différents d'un élève à un autre. Par ailleurs, l'apprentissage se réalise avant tout par les interactions entre les membres d'une communauté (en classe, les pairs et l'enseignant); l'apprentissage est donc vu comme une activité sociale plutôt que comme une activité individuelle.

On peut certainement se demander s'il est possible de concevoir un curriculum si les savoirs varient d'un individu à un autre et se construisent à l'aide d'interactions sociales nécessairement imprévisibles. Néanmoins, l'aspect social de l'apprentissage ne doit pas être sous-estimé. C'est d'ailleurs dans cet esprit qu'au moment d'élaborer le programme de formation pour les jeunes, le MEQ parlait d'une approche « socio-constructiviste ».

La première caractéristique du nouveau curriculum proposé par le MEQ est sa structure en trois sections. La première section décrit les cinq domaines d'apprentissage qui regroupent les compétences disciplinaires :

1. domaine des langues : langue d'enseignement, langue seconde et langue d'accueil ;

2. domaine de la mathématique, de la science et de la technologie ;

3. domaine de l'univers social : géographie, histoire et éducation à la citoyenneté ;

4. domaine des arts : art dramatique, arts plastiques, musique et danse ;

5. domaine du développement personnel : éducation physique et santé, enseignement moral et religieux.

Voici quelques exemples de compétences disciplinaires.

- Français, langue d'enseignement : « Lire des textes variés ».
- Mathématique : « Résoudre une situation-problème mathématique ».
- Enseignement moral : « Construire son référentiel moral ».
- Science et technologie : « Communiquer à l'aide des langages utilisés en science et en technologie ».

Une autre section du programme regroupe les compétences dites « transversales », c'est-à-dire des compétences qui, en principe, se développent dans toutes les disciplines à la fois (Rey, 1996) ; on y distingue des compétences d'ordre intellectuel, d'ordre méthodologique, d'ordre personnel et social, et de l'ordre de la communication. Voici des exemples de compétences transversales de chacune des catégories.

- Intellectuel : « Exploiter l'information ».
- Méthodologique : « Se donner des méthodes de travail efficaces ».
- Personnel et social : « Faire preuve de sens éthique dans ses relations avec autrui ».
- Communication : « Communiquer de façon appropriée ».

Par ailleurs, les compétences disciplinaires et transversales doivent se développer autour de grandes problématiques qui concernent les jeunes. C'est pourquoi le programme distingue cinq domaines généraux de formation. Le programme comprend une section qui présente les domaines suivants :

- santé et bien-être ;
- orientation et entrepreneuriat ;
- environnement et consommation ;
- médias ;
- vivre-ensemble et citoyenneté.

La deuxième caractéristique du curriculum est le fait que les compétences sont essentiellement les mêmes du début du primaire jusqu'à la fin du secondaire. Cela explique pourquoi l'énoncé des compétences dans les exemples précédents peut paraître beaucoup trop général pour être compris de la même manière par différentes personnes et pour servir de référence dans une démarche évaluative. Ce choix du MEQ s'appuie sur l'idée que les compétences qui doivent se développer dans l'enseignement de base sont des compétences complexes et transférables dans une multitude de situations d'étude et de travail, et que leur développement se fait sur une période assez longue. De fait, on peut dire qu'il s'agit, dans la plupart des cas, de compétences qui sont toujours perfectibles. En effet, qui peut prétendre, au terme de ses études secondaires, « résoudre une situation-problème mathématique » ou « exploiter l'information » au point de ne plus avoir rien à apprendre ? C'est pourquoi il vaut mieux parler de degré (ou de niveau) de compétence. Le degré de compétence attendu à chaque cycle d'apprentissage (un cycle dure habituellement deux ans) est défini dans le programme dans un court texte qui permet de situer ce qui est visé sur l'axe de développement qui commence avec une compétence nulle et se termine (à la fin du secondaire) par une compétence fonctionnelle. Dans le programme du MEQ, cette description correspond aux « attentes de fin de cycle ». Cette caractéristique est fondamentale, car un des buts de l'évaluation des apprentissages consiste précisément à situer l'élève sur cet axe de développement. L'énoncé de la compétence est complété, pour chaque cycle, par des indications sur la manière dont cet énoncé doit être compris et sur le contexte de la réalisation de la compétence. On trouve également une liste de critères à privilégier pour déterminer si le degré de maîtrise attendu est effectivement atteint.

Chaque compétence est décomposée en un certain nombre de composantes qui se présentent comme des opérations (parfois observables, parfois non) que l'élève devra maîtriser. La figure 2.1 reproduit l'organisation des composantes que propose le programme du primaire en ce qui a trait à une compétence en français langue d'enseignement, « Écrire des textes variés ».

Le programme fournit également des tableaux qui présentent les contenus spécifiques que sous-tend le développement de la compétence ou de ses composantes selon le degré de maîtrise visé. On trouve, dans ces tableaux, des informations relatives à ce qu'on reconnaît habituellement (sans que le programme les catégorise ainsi) comme les éléments qui composent toute compétence : des connaissances, des habiletés et des attitudes.

Une compétence peut être, en effet, considérée comme le résultat de l'interaction des connaissances, des habiletés et des attitudes qui peuvent être mobilisées en vue de réaliser une tâche complexe. Comme le souligne Perrenoud (1995, p. 23), on doit prendre garde d'évacuer les connaissances des compétences, car elles en sont des « ingrédients indispensables ». Les connaissances correspondent à l'un des trois types que nous avons présentés dans le chapitre précédent (connaissances déclaratives, procédurales ou conditionnelles) et peuvent être reliées à certains thèmes que propose

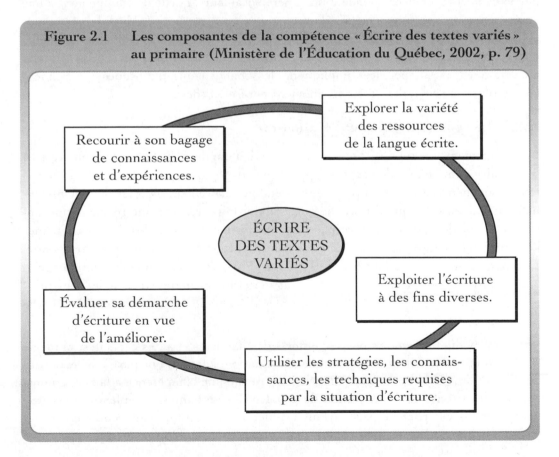

**Figure 2.1   Les composantes de la compétence « Écrire des textes variés »
au primaire (Ministère de l'Éducation du Québec, 2002, p. 79)**

Explorer la variété
des ressources
de la langue écrite.

Recourir à son bagage
de connaissances
et d'expériences.

ÉCRIRE
DES TEXTES
VARIÉS

Exploiter l'écriture
à des fins diverses.

Évaluer sa démarche
d'écriture en vue
de l'améliorer.

Utiliser les stratégies, les connaissances, les techniques requises
par la situation d'écriture.

le programme. Les habiletés peuvent appartenir tantôt au domaine cognitif, tantôt au domaine psychomoteur, tantôt à la dimension sociale du domaine affectif. Dans leur formulation et leur contenu, il arrive que les habiletés se rapprochent beaucoup des objectifs spécifiques des programmes antérieurs. Finalement, les attitudes, en tant que « savoir-être », appartiennent au domaine affectif. Il peut s'agir des jugements de valeur que porte un individu par rapport à certains aspects d'une compétence, des sentiments que ressent l'élève à l'égard d'un thème, de la motivation de l'élève à développer la compétence, etc.

Un des aspects les plus importants des programmes par compétences, que ce soit celui du MEQ pour les jeunes ou n'importe quel autre, est de considérer les attitudes comme des éléments de la compétence plutôt que comme des apprentissages isolés. De fait, comment pourrait-on voir se développer convenablement une compétence si l'élève n'était aucunement motivé à la développer ? L'aspect motivationnel fait donc partie de la compétence. Comment imaginer, par ailleurs, que le développement d'une compétence ne s'accompagne pas d'un changement d'attitudes ? Ainsi, la pertinence de développer des compétences dans le domaine des sciences (l'écologie, notamment) ou encore des compétences associées à l'éducation à la citoyenneté est évidente quand on sait que ces compétences impliquent des changements d'attitudes qui rendent l'élève plus conscient de son environnement naturel et social.

2.2.4 Le constructivisme et l'évaluation

Le changement que représente le nouveau curriculum du MEQ pour le primaire et le secondaire tient en grande partie à l'approche pédagogique qui est favorisée. Même si les assises théoriques ne sont pas toujours établies clairement dans les documents ministériels, il est clair que l'approche constructiviste représente une réorientation importante qui devrait se traduire par des transformations dans les façons de mener l'évaluation des apprentissages. La nature de ces transformations n'est pas très claire. D'après Jonnaert et Vander Borght (2003, p. 375), « une véritable évaluation socio-constructiviste reste à inventer ». On peut toutefois distinguer trois exigences principales dans la mise en place de mécanismes d'évaluation qui respectent l'approche préconisée.

1. L'évaluation ne doit pas se limiter à des habiletés et à des capacités, ni même aux compétences. Pour des fins d'évaluation, il faut, d'une part, concevoir des situations intégratrices qui sollicitent plus d'une compétence à la fois, comme des situations de résolution de problèmes signifiantes, complexes et contextualisées. D'autre part, il faut évaluer les processus d'apprentissage et les attitudes. La rétroaction doit tenir compte des différentes dimensions d'une

même performance, car il n'est pas possible de faire la synthèse des résultats sous la forme d'une note unique.

2. L'évaluation doit mettre en évidence les aspects positifs des progrès de chaque élève. Toute situation d'apprentissage produit des effets bénéfiques qu'il faut faire ressortir. L'évaluation sert à encourager les élèves et à mettre en place les stratégies appropriées pour atteindre le degré de compétence le plus élevé possible en respectant le rythme de chacun. Dans cette perspective, certains constructivistes vont jusqu'à bannir la notion d'échec.

3. L'évaluation est une démarche collective. De la même manière que l'apprentissage est un processus qui se nourrit des échanges à l'intérieur du groupe, l'évaluation devrait aussi faire appel au groupe. La planification de l'évaluation peut se faire en groupe, et on devrait tenir compte des jugements de l'enseignant, des pairs et de l'élève lui-même (Rey, Carette, Defrance et Khan, 2003). De plus, les compétences dont la mise en œuvre s'appuie sur les ressources du groupe devraient être évaluées dans des conditions comparables. Il faut toutefois se rappeler que les compétences énoncées dans le programme se développent chez l'individu lui-même et que beaucoup de documents qui servent à en témoigner (portfolio, bulletins, attestations) sont personnels.

Les différents types d'évaluation pédagogique

3

Quelle que soit l'approche pédagogique, la démarche évaluative demeure la même. Évaluer l'apprentissage consistera toujours à porter un jugement de valeur — personnel et subjectif — sur cet apprentissage, en fonction d'un certain nombre de données recueillies en observant ou en mesurant une performance. Ce qui varie selon les approches et les intentions, c'est la nature des performances qu'on privilégie, les instruments pour recueillir les données, le type d'interprétation qu'on fait de ces données et l'usage qu'on décide de faire des résultats par la suite.

Nous avons remarqué que tout jugement s'effectue par voie de comparaison; les points de comparaison qu'on choisit pour évaluer l'apprentissage d'une personne ne sont pas toujours les mêmes. Nous verrons dans ce chapitre que le mode de comparaison détermine, dans une proportion importante, le type d'évaluation pédagogique. De plus, il faut se rappeler qu'on effectue des évaluations à différents moments de l'apprentissage pour prendre diverses décisions. L'évaluation s'insère donc dans un processus de décision adapté à chaque situation. Mais l'évaluation doit aussi s'adapter. Comme nous le verrons plus loin, ce sont les dimensions particulières de la situation de décision qui nous amènent à établir des distinctions entre différentes fonctions de l'évaluation.

3.1 Les références pour comparer

Nous avons déterminé, dans le premier chapitre, trois modes de comparaison dans le cadre d'une démarche évaluative. Nous les examinons ici plus en détail.

3.1.1 L'interprétation normative

Pour comprendre l'interprétation normative, on doit d'abord saisir le sens exact de certains termes courants comme « norme », « normal », « normatif » et « courbe normale des probabilités ». *Le Petit Larousse* indique que le mot « norme » vient du latin *norma*, qui signifie équerre, règle, et il définit ce terme comme un principe servant de règle, de loi. À titre d'exemple, il parle d'une œuvre exécutée suivant la norme, c'est-à-dire selon certaines règles établies au préalable pour ce genre d'œuvre, et d'une norme de productivité qui serait la productivité moyenne d'un secteur économique donné. Or, ces règles et ces lois peuvent être inscrites dans la nature même des choses, ou bien déterminées arbitrairement par l'homme. Dans les deux cas, elles servent de points de repère pour fixer les bornes à l'intérieur desquelles les décisions ou encore les actions deviennent acceptables ; en d'autres termes, elles servent à délimiter des zones de normalité.

On considérera comme normal ce qui se conforme à ces règles ou à ces lois, et anormal ce qui s'en écarte sensiblement. On juge normal ce qui se produit souvent, comme une tempête de neige en hiver ou une vague de chaleur en été au Québec, et ce qui s'observe quotidiennement, comme un enfant qui marche à un an, parle à deux ans, apprend à lire à cinq ou à six ans. À l'inverse, on juge anormal ce qui sort de l'ordinaire, comme une personne qui atteint une taille de deux mètres cinquante, ce qui tient du prodige, comme un enfant qui compose une pièce musicale à trois ou à quatre ans, ce qui tient de l'exploit, ou comme un athlète qui réussit une performance remarquable, jamais encore observée.

On qualifie généralement de normatifs les théories ou les principes fondamentaux desquels on dégage certains préceptes, certaines règles de conduite ou d'application. C'est en ce sens qu'on parle de logique normative ou de grammaire normative. Cependant, l'évaluation normative n'est pas normative de cette façon-là, mais bien parce qu'elle consiste à comparer le comportement d'une personne au comportement habituel des autres personnes ou à la performance moyenne des personnes d'un groupe dont elle fait ou ne fait pas partie. Les normes qui permettent de situer le rendement de chaque élève, donc de porter un jugement sur son apprentissage, sont les résultats obtenus par les élèves d'une classe ou d'une population plus large d'élèves.

Par exemple, les examens standardisés, sur lesquels nous reviendrons au chapitre 5, sont, en général, conçus délibérément pour situer un individu à l'intérieur d'un groupe précis, approprié et surtout bien défini. C'est, du reste, parce que certains de ces examens sont accompagnés de résultats provenant d'un groupe témoin, et servant alors de points de comparaison, donc de normes, qu'on les présente parfois comme des épreuves normalisées.

Chez les êtres humains, beaucoup d'attributs physiques ou de traits de personnalité se ressemblent, tout en variant légèrement d'un individu à un autre. On peut souvent en décrire la distribution dans une population considérable à l'aide d'un modèle mathématique qu'on nomme courbe normale des probabilités (la courbe de Gauss).

Dans la représentation graphique, l'axe horizontal représente l'échelle retenue pour mesurer l'attribut (un score, par exemple). L'axe vertical représente la proportion d'individus, de sorte que la surface sous la courbe correspond à la distribution de la population à différents points de l'échelle. Dans une distribution tout à fait normale, le sommet de la courbe correspond à la moyenne et à la médiane. L'étendue de la courbe par rapport à l'axe vertical permet de représenter la dispersion des résultats. Ce modèle permet donc de connaître approximativement le nombre de personnes dont les caractéristiques se rapprochent ou s'éloignent de la caractéristique moyenne de la population. Il est facile de constater, par exemple, que la taille moyenne des Québécois de sexe masculin se situe autour de un mètre soixante-dix, et que la grande majorité des personnes affiche une taille qui se rapproche de cet indice central. En conséquence, plus la taille d'une personne s'écarte dans un sens ou dans l'autre de cette norme, prise comme point de comparaison, plus elle sera considérée comme grande ou petite. Les nains et les géants sont des cas exceptionnels et rares qui se situent aux extrémités opposées de la distribution normale des tailles, qui s'éloignent de la norme, c'est-à-dire en dehors de la zone qui entoure la moyenne.

En éducation, on applique les principes de l'interprétation normative chaque fois qu'on évalue l'apprentissage d'un élève en comparant son score ou sa note à ce qu'ont obtenu les autres élèves de la classe, de toute une commission scolaire ou de toute une province qui ont passé la même épreuve ou le même examen. Plusieurs techniques permettent de faire cette comparaison.

- On peut simplement rapporter la note ou le score de l'élève et, parallèlement, la moyenne ou la médiane (le score qui partage le groupe de référence en deux moitiés comprenant chacune le même nombre d'individus). Cette présentation est simple et révélatrice, mais elle peut être trompeuse parce qu'elle ne tient pas compte des écarts entre les élèves et parce que la moyenne est parfois faussée par quelques scores très élevés ou très bas.

- On peut se baser sur le rang de l'élève. Il y a de nombreuses années, les enseignants avaient l'habitude d'établir des rangs : premier de la classe, deuxième et ainsi de suite. Cette pratique, discutable quant à ses effets sur les élèves, a été remplacée, au secondaire, par les rangs cinquièmes. On classe d'abord les élèves par rang, du premier au dernier, puis on détermine cinq segments égaux de sorte que les 20 % des élèves qui ont obtenu les scores les plus élevés appartiennent au premier rang cinquième et les 20 % qui ont obtenu les scores les plus faibles appartiennent au dernier rang cinquième. Cette technique est, en fait, une variation des percentiles, qu'on utilise surtout dans le cas de grands échantillons ; on divise alors le groupe en 100 tranches plutôt qu'en 5.

- On peut convertir les scores. Ainsi, il est possible de calculer un score standardisé en fixant, par exemple, la moyenne à 0 et l'écart type (en quelque sorte, la moyenne des différences individuelles par rapport à la moyenne) à 1 ou à toute autre valeur (par exemple, 50 et 10). En normalisant, on peut calculer une cote Z ou, encore, un résultat en stanines. Cette dernière échelle distribue l'échantillon en neuf strates de façon à ce que plus du quart des sujets se trouvent dans la strate moyenne (5) et moins de 5 % dans les strates extrêmes (1 et 9). Le résultat de beaucoup de tests dits standardisés est obtenu à l'aide de telles transformations.

Ce type d'évaluation ne renseigne pas l'enseignant de façon précise sur l'étendue et la qualité de l'apprentissage d'un élève en particulier, mais lui permet, indirectement, de juger si cet élève a aussi bien, moins bien ou mieux appris que les autres élèves. Sa position dans le groupe dépend alors autant du groupe que de lui-même. En effet, l'élève dont l'apprentissage est moyen peut se trouver au-dessus de la moyenne, au-dessous de la moyenne ou tout près de la moyenne, selon qu'il fait partie d'un

Figure 3.1   Les courbes de distribution typiques pour un examen sur 100 points à interprétation normative et un examen sur 100 points à interprétation critériée (N=250)

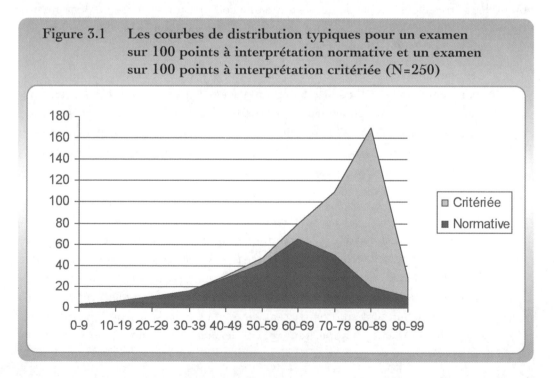

groupe d'élèves faibles, forts ou moyens. C'est pourquoi l'interprétation normative se justifie mieux quand un élève appartient à un groupe d'élèves hétérogène, ou quand le groupe témoin est formé d'une population considérable d'élèves du même âge ou du même niveau scolaire. Elle convient bien quand la situation d'évaluation exige une mise en ordre des élèves, aux fins d'une sélection, par exemple.

Il faut également souligner que le type d'interprétation qu'on envisage est déterminant quant à la construction des instruments. On peut penser, par exemple, à une situation où à peu près tous les élèves obtiendraient le même score. Comment pourrait-on alors faire une interprétation normative ? Cela signifie donc qu'il faut concevoir un instrument qui fasse ressortir le plus possible les différences entre les élèves. Comme le montre la figure 3.1, ci-contre, l'interprétation normative se traduit généralement par une distribution assez largement étalée de part et d'autre du score moyen.

3.1.2 L'interprétation critériée

L'interprétation normative vient de la psychométrie qui, depuis les tout premiers tests d'intelligence, a habitué les gens concernés à comparer les performances individuelles des enfants, à différents tests d'habileté mentale, aux performances moyennes d'enfants du même âge. Un enfant de six ans est considéré comme normal quand il réussit une épreuve de résolution de problèmes que la majorité des enfants de son âge arrive à faire sans trop de difficulté. On lui attribue alors un âge mental de six ans, âge qui, lorsqu'il est divisé par l'âge chronologique de six ans de l'enfant, équivaut à un quotient intellectuel de 100, quotient qui représente la moyenne. Plus le quotient de l'enfant dépasse cette norme, ce point de repère, plus on le juge intelligent. Plus son quotient demeure en deçà de la norme, moins on le juge intelligent. Bref, le quotient intellectuel d'un élève, ce n'est que sa position dans un groupe qui a subi le même test, ce qui est bien loin de représenter toute la richesse et la complexité de son intelligence.

Avec la formulation d'objectifs pédagogiques basés sur des taxonomies des apprentissages scolaires, on a vu apparaître une tendance à délaisser le modèle psychométrique et à évaluer directement l'apprentissage des élèves en fonction des objectifs d'apprentissage visés. En effet, on tient pour acquis qu'en situation d'apprentissage, ce qui importe, ce n'est pas de savoir si un élève est meilleur ou moins bon que les élèves de son groupe, mais de vérifier s'il a bien appris tout ce qu'il devait apprendre. Dans ce cas, les critères d'évaluation ne sont plus la performance du groupe ni la place qu'occupe un individu dans le groupe, mais les objectifs d'apprentissage attribués à chacun des élèves d'un groupe ou les compétences qui sont visées. On parle alors d'interprétation critériée (ou critérielle).

Les instruments pour évaluer les apprentissages des élèves ne sont pas conçus de la même façon selon qu'on cherche à comparer entre eux les élèves d'une classe ou qu'on tente de vérifier si chaque élève a atteint les objectifs visés ou a développé ses compétences au niveau attendu. Ainsi, s'il s'agit de concevoir un examen, celui-ci, dans le premier cas, comprendra un grand nombre d'items de difficulté moyenne afin de mieux distinguer les « faibles » des « forts », de mieux situer chaque élève par rapport aux autres élèves et de reconnaître sans peine les meilleurs et les moins bons de la classe. Mais si l'on veut vérifier l'apprentissage de chacun, en fonction de critères d'apprentissage bien spécifiés dans les objectifs, l'examen devra être construit rigoureusement et basé sur ces objectifs ou compétences. On devra inclure des éléments ou des tâches qui servent à évaluer autant les apprentissages faciles que les apprentissages moyens ou difficiles. Par ailleurs, dans la pratique, comme la vérification des compétences visées ou des éléments qui composent ces compétences a lieu une fois qu'on a de bonnes raisons de croire que les apprentissages ont été faits, on doit s'attendre à ce qu'une bonne part des élèves réussissent la majorité des tâches qu'on leur soumet au moment de l'évaluation. C'est pourquoi, lorsqu'on favorise une interprétation critériée, la moyenne des scores est souvent très élevée et on observe relativement peu d'écarts entre les élèves. Comme le montre la figure 3.1 (page 42), il en résulte souvent une courbe en J (avec les sujets concentrés vers la droite), typique des scores à interprétation critériée.

Cette distribution concentrée comprenant surtout des scores élevés ne doit pas surprendre compte tenu de ce qui est visé par une interprétation critériée. Essentiellement, ce mode de comparaison permet de juger de l'atteinte ou non des objectifs, du développement ou non des compétences visées, de la présence ou non des éléments d'une compétence. C'est pourquoi on exprime le résultat en parlant de maîtrise ou de non-maîtrise. Au mieux, on peut nuancer en disant que les objectifs sont en voie d'être atteints ou ont été largement dépassés, ou que les compétences sont en développement ou déjà bien en place.

Par ailleurs, contrairement à l'interprétation normative, qui ne suppose pas nécessairement un seuil de passage, l'interprétation critériée implique l'établissement d'un seuil de réussite. Dans une situation de mesure, il s'agit d'un score qui représente le minimum de ce que devrait obtenir une personne qui atteint les objectifs ou maîtrise les compétences. Il est d'ailleurs courant, compte tenu du jugement à porter, que le seuil soit relativement élevé. Par exemple, il n'est pas rare qu'on s'attende à ce que quelqu'un qui satisfait aux exigences de la maîtrise d'une compétence obtienne plus de 80 % des points. Dans une situation d'observation, le seuil de passage correspond à la description d'une performance typique d'une personne qui satisferait à ces exigences de maîtrise. Cette description devient, en quelque sorte, l'étalon qui servira à établir la comparaison.

Quand un instrument doit servir à déterminer la place relative qu'occupe un élève dans son groupe, les Anglo-Saxons parlent de *norm-referenced measure*. Par contre, quand il a pour but de déterminer la compétence que l'élève a développée dans un domaine où la performance est décrite avec précision, ils parlent de *criterion-referenced measure*. De fait, dans ce dernier cas, l'expression n'est pas tout à fait appropriée, car l'interprétation critériée peut se faire en fonction d'une observation directe plutôt qu'à l'aide d'une mesure. Par ailleurs, il n'est pas rare que, par extension, on parle d'évaluation normative ou critériée ou même d'instrument normatif ou critérié. Il importe de ne pas perdre de vue, malgré ces abus de langage, que la distinction porte toujours sur le mode de comparaison.

Cette distinction que nous soulignons entre une interprétation normative et une interprétation critériée est capitale dans la construction des épreuves ou des examens. En effet, si on cherche à faire ressortir les différences individuelles des élèves, on préférera retenir les items de difficulté moyenne qui discrimineront les élèves doués et les élèves faibles. Nous reviendrons sur ce point dans le chapitre 5. Au contraire, si on cherche à mesurer jusqu'à quel point chaque élève a vraiment atteint les objectifs d'apprentissage, on prélèvera un échantillon d'items, représentatif de l'ensemble des objectifs, indépendamment de leur degré de difficulté ou de leur discrimination. Naturellement, l'examen produira, dans le premier cas, des résultats différents de ceux qu'on obtiendra dans le deuxième cas, et l'interprétation de ces résultats ne se fera pas de la même manière.

Dans un contexte normatif, la moyenne, ou tout autre indice de tendance centrale, prend une grande importance, car elle devient le critère premier de l'évaluation de chaque élève. Dans un contexte critérié, la moyenne d'un groupe d'élèves ou d'une classe ne sert qu'à décrire le résultat de l'ensemble du groupe par rapport aux résultats attendus ; ce qui compte davantage, c'est l'écart observé, relativement à chaque élève, entre les apprentissages visés et les apprentissages réalisés. Dans le premier cas, une moyenne de classe trop élevée inspire la méfiance, et une moyenne trop basse laisse songeur. Dans le second cas, des résultats impressionnants indiquent seulement que les élèves, forts, moyens ou faibles, ont accompli la tâche qu'on leur avait attribuée et qu'ils ont effectivement atteint les objectifs qu'on cherchait à leur faire atteindre. Le tableau 3.1, à la page suivante, résume les caractéristiques des interprétations normative et critériée.

3.1.3 L'interprétation dynamique

Nous venons de voir que, dans l'optique d'une interprétation normative, on compare la performance d'un élève avec celle des autres élèves et que, dans l'optique de l'interprétation critériée, on compare la performance de l'élève avec ce qu'on attendait de lui. Dans un cas comme dans l'autre, la référence est externe à l'individu. On peut certainement douter de la pertinence d'utiliser de telles références dans le contexte d'une approche pédagogique comme le constructivisme. Les tenants de cette approche voient le développement des compétences comme un processus qui prend une forme et un rythme différents selon les individus. Il se peut que le changement produit par l'apprentissage ne se traduise ni par une position différente de l'élève par rapport à ses pairs ni par la réalisation d'une performance qui serait conforme à la performance attendue. Cela ne signifie pas qu'il n'y a pas eu de changement entre le début et la fin de l'apprentissage. Dans cette perspective, Tombari et Borich (1999, p. 36) suggèrent d'ajouter un troisième type d'interprétation en fonction du progrès réalisé par l'élève, de façon à ce qu'il ne soit pas nécessaire de recourir à des références externes à l'apprenant. On s'intéresse alors davantage au progrès de l'apprenant lui-même, on se centre sur la personne. Les points de référence pour la comparaison deviennent dif-

Tableau 3.1   Comparaison entre l'interprétation normative et l'interprétation critériée

ASPECTS	NORMATIF	CRITÉRIÉ
Situation habituelle	Mesure collective de rendement	Description de la maîtrise individuelle
Objet de l'évaluation	Différence dans le rendement	Tâches spécifiques ou compétence
Point d'interprétation des résultats	Résultats des autres	Domaine des tâches possibles
Contenu mesuré	Varié et étendu	Limité et spécifique
Techniques de planification	Tableau de spécifications	Définition de domaine, spécification des tâches
Critère de sélection des items	Discrimination élevée, facilité moyenne	Représentativité du domaine des tâches
Critère de performance	Position dans le groupe	Seuil minimal ou maximal

férents moments dans le temps. C'est pourquoi nous suggérons de parler ici d'une interprétation « dynamique » puisque c'est l'évolution des compétences chez un apprenant qui devient la préoccupation principale.

Dans le cadre des évaluations basées sur des objectifs spécifiques, Kryspin et Feldhusen (1974) puis Laveault (1992) ont suggéré de mesurer le changement à l'aide d'indices construits grâce à des tests identiques que l'élève passerait à différents moments, selon une technique qui s'apparente au calcul de gain entre un prétest et un post-test. Ces suggestions s'inscrivent cependant dans une perspective davantage centrée sur les effets de l'enseignement que sur l'apprentissage. Elles imposent la passation d'un test avant même d'entreprendre la séquence d'enseignement prévue pour que l'élève atteigne les objectifs visés. Par contre, dans l'optique d'une évaluation de compétences qui ne sont jamais tout à fait développées et qui demandent la production de performances complexes, il devient possible de soumettre l'élève à des tâches équivalentes (mais différentes) en évaluant les mêmes aspects d'une fois à l'autre. Par exemple, on peut demander aux élèves de rédiger différents textes narratifs au cours d'un cycle et les apprécier en fonction des aspects qu'on travaille en classe (temps des verbes, marqueurs de relations temporelles, précision du vocabulaire, etc). La comparaison entre les différentes appréciations renseigne alors l'enseignant sur le déroulement des apprentissages. On peut aussi construire des tâches qui permettent d'induire l'état des connaissances pour repérer certaines lacunes. Par exemple, la réalisation d'un projet sur les insectes peut servir à cibler certaines conceptions incomplètes ou même erronées quant à ce qui caractérise la famille des insectes. Nous reviendrons sur ces aspects en traitant des mécanismes de macrorégulation et de microrégulation.

Le plan d'intervention individualisé, lorsqu'il est bien construit, permet une évaluation à interprétation dynamique des élèves en difficulté. Ce plan se présente comme une liste relativement courte d'objectifs pédagogiques ou de comportements reliés à des habiletés ou des attitudes qu'on souhaite voir changer. Leur formulation tient compte des difficultés particulières de l'élève ainsi que de sa situation par rapport à l'atteinte des objectifs visés ou au développement des compétences en jeu. Le plan comporte également une planification d'activités dont on a discuté avec l'élève et, dans certains cas, avec les parents. L'élève est appelé à jouer un rôle actif dans le cadre de ce plan. Enfin, le plan comporte des échéances qui fixent les moments où les progrès réalisés seront évalués.

Louis (1999, p. 42) parle, en faisant allusion à ce troisième type d'interprétation, d'une « évaluation basée sur une approche écologique » parce que cette évaluation tient compte des multiples variables qui sont susceptibles d'influencer l'apprentissage d'un élève. Selon lui, dans l'évaluation des progrès, il faut prendre en considération des caractéristiques personnelles de l'élève (son rendement scolaire, ses stratégies d'apprentissage, sa motivation, etc.) et des particularités des contenus (niveau de difficulté, préalables, importance, etc.); ces deux ensembles de variables entrent en interaction au moment de l'apprentissage. La figure 3.2 ci-dessous montre le champ des interactions entre ces variables. Par ailleurs, comme l'apprentissage se fait dans un environnement particulier, il faut aussi tenir compte des traits spécifiques de l'environnement d'apprentissage : les méthodes pédagogiques, les ressources (les technologies, par exemple), la relation avec les autres élèves, etc. Enfin, on ne doit pas négliger l'environnement sociofamilial, car il est connu que la collaboration des parents, le niveau socioéconomique et les spécificités culturelles, entre autres, sont autant de facteurs qui interviennent dans l'apprentissage.

3.2 Les fonctions de l'évaluation

En décrivant la démarche évaluative, nous avons insisté sur le fait que cette démarche est orientée vers une décision. Bien que la décision ne fasse pas partie, à proprement parler, de la démarche, la pertinence de celle-ci dépend essentiellement de l'utilité des

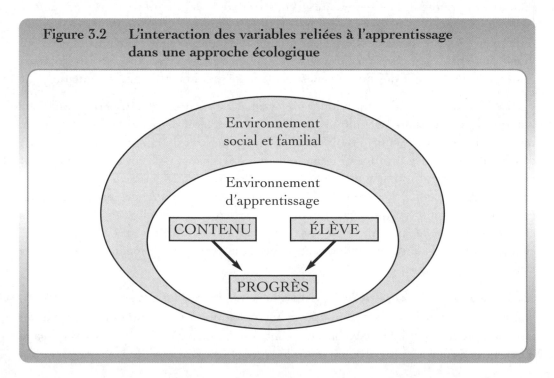

Figure 3.2   L'interaction des variables reliées à l'apprentissage dans une approche écologique

Environnement social et familial

Environnement d'apprentissage

CONTENU   ÉLÈVE

PROGRÈS

résultats pour décider et agir. Dans un grand nombre de situations, l'évaluateur est aussi un décideur. C'est le cas dans les exemples suivants.

- À la suite d'un jeu de questions-réponses (quiz) en classe, l'enseignant de physique décide de revenir sur la notion de levier, qu'il considère comme mal assimilée.

- Après avoir évalué les projets qui lui sont remis, l'enseignant décide de préparer des activités liées à la collecte et à l'organisation d'informations relatives à une recherche.

- L'équipe de professeurs d'un cycle décide de la promotion des élèves au cycle suivant en se basant sur l'évaluation de fin de cycle qu'elle a menée.

- Un élève participe à une activité d'autoévaluation et décide de consacrer plus de temps à une matière.

Par contre, il arrive que l'évaluateur ne soit pas un décideur. On peut penser aux situations suivantes.

- Une école fait passer des tests standardisés à ses élèves dans le cadre de sa participation à une enquête internationale qui vise à comparer les systèmes éducatifs de différents pays.

- Un enseignant fait passer un test officiel, le corrige et communique les résultats à un ministère.

Que l'évaluateur soit ou non un décideur, il reste que le type de décisions à prendre est déterminant dans la planification de la démarche évaluative. Selon la nature et l'importance de la décision, l'évaluation se déroulera d'une façon différente (Dassa et Laurier, 2003). C'est pourquoi il est important de distinguer les diverses fonctions de l'évaluation.

3.2.1 Le classement

La création de groupes parfaitement homogènes est une utopie et on a sans doute surestimé l'efficacité d'une opération qui vise à réduire les écarts de niveau entre les élèves. On voit maintenant l'intérêt que présente la diversité sur le plan pédagogique, même si elle requiert une gestion de classe plus habile. Un certain nombre de situations pédagogiques peuvent cependant exiger la formation de groupes homogènes. Par exemple, pour l'apprentissage d'une langue seconde, il n'est pas souhaitable que des élèves qui ont une excellente maîtrise de la langue soient placés dans la même classe que ceux qui sont tout à fait débutants. Dans ce cas, on tente de regrouper les élèves sur la base du résultat à un test de classement. Un tel test peut être construit de diverses manières : on peut déterminer le contenu en fonction de la séquence des objectifs ou des niveaux de compétence du programme qui doit s'appliquer, ou on peut se concentrer sur les éléments les plus caractéristiques du développement des compétences en évitant de coller de près à un programme particulier. L'utilisation d'un test de classement peut être utile pour un enseignant qui veut tenir compte des besoins particuliers des élèves, en mathématiques, par exemple, en planifiant des activités d'enrichissement pour les uns et des activités de soutien pour les autres. On peut ranger dans cette catégorie une bonne partie des instruments qui visent la reconnaissance des acquis (scolaires ou extrascolaires) puisque, dans plusieurs cas, il s'agit de déterminer le type de formation qui sera le plus approprié pour l'apprenant. Il est aussi possible de rechercher des informations qui ne sont pas directement liées aux acquis réalisés, de façon à tenir compte, par exemple, du rythme d'apprentissage, du style cognitif ou des intérêts de l'apprenant ; cette optique s'apparente cependant davantage à la fonction de pronostic.

3.2.2 Le pronostic

La fonction pronostique partage certaines caractéristiques avec la fonction de classement du fait qu'elle s'exerce surtout avant une séquence d'apprentissage en vue de développer un programme d'apprentissage qui sera compatible avec les caractéristiques des élèves. Toutefois, l'accent est nettement mis ici sur les difficultés de l'élève puisqu'on essaie d'en connaître les causes possibles. Cette fonction peut aussi amener l'évaluateur à chercher les causes psychologiques des difficultés en prenant en considération les aptitudes et les attitudes de l'élève au regard de l'apprentissage. En ce sens, c'est généralement le psychologue ou l'orienteur scolaire qui est le mieux outillé pour mener cette évaluation. Une évaluation pronostique peut, par exemple, révéler qu'un élève éprouve des problèmes dans la manipulation des TIC (technologies de l'information et de la communication) parce qu'il entretient une perception négative à l'égard des technologies ou qu'il sous-estime ses capacités à comprendre leur fonctionnement. Nous empruntons l'expression « pronostic » à des auteurs comme Allal (1979, 1993) et Hadji (1997), qui la préfèrent à « diagnostic ». Ce terme est en effet fortement associé à l'évaluation formative, c'est-à-dire à la fonction de régulation.

3.2.3 La régulation

Les mécanismes de régulation s'intègrent au processus même de l'apprentissage et contribuent à son efficacité. L'évaluation à des fins de régulation se présente comme une succession d'activités qui permettent de vérifier, en cours d'apprentissage, l'efficacité de l'enseignement et de soutenir les élèves dans leurs efforts. La régulation doit donc être considérée comme une activité pédagogique qui a pour but, d'une part, d'aider les élèves dans leur cheminement personnel et, d'autre part, d'aider l'enseignant à mieux jouer son rôle de personne-ressource. À cet égard, la régulation se rapporte autant au domaine de la didactique, où l'on s'intéresse à la façon d'enseigner, qu'au domaine de l'évaluation (Schneuwly et Bain, 1993). Il ne faut donc pas se surprendre que la réflexion et l'instrumentation (Scallon, 2000) dans ce domaine particulier de l'évaluation nous ramènent continuellement au cœur de l'action pédagogique.

La fonction de régulation a pendant longtemps été associée à l'évaluation formative. Dans le contexte actuel de l'évolution du domaine de l'évaluation des apprentissages, il semble préférable, pour diverses raisons, de se référer au concept de régulation plutôt que de continuer à parler d'évaluation formative. Il faut dire qu'au départ, l'expression s'est répandue à la faveur d'un glissement de sens à partir de l'opposition originale que faisait Scriven (1967) entre évaluation formative (*formative evaluation*) et évaluation sommative (*summative evaluation*) alors qu'il parlait d'évaluation de programmes ou de matériel éducatif. Bloom et ses collaborateurs (1971) ont repris la distinction en la généralisant à l'évaluation des apprentissages et en faisant de cette distinction un élément clé de la pédagogie de la maîtrise. C'est pourquoi l'évaluation formative a toujours été plus ou moins associée à une perspective mécaniste de l'apprentissage, et ce, malgré certaines propositions pour y intégrer les principes du constructivisme (Allal, 1993). L'évaluation formative des apprentissages est devenue une notion beaucoup plus répandue dans la francophonie, où elle a continué à évoluer à la faveur de nombreux débats et de multiples interprétations. Au Québec, Séguin, Parent et Burelle (1993) ont montré que si la majorité des enseignants sont convaincus de la nécessité de l'évaluation formative, son articulation dans les pratiques varie beaucoup. Le débat sur le bulletin descriptif, où celui-ci était parfois présenté comme une forme d'évaluation formative, est un indice de la confusion qui a pu entourer la notion. Des pratiques souvent peu conformes à l'esprit de l'évaluation formative telle qu'elle a été définie dans les années 1980 par les chercheurs francophones (Allal, 1979; Scallon, 1988) expliquent peut-être que, dans la perception de beaucoup d'élèves, l'évaluation formative n'est rien de plus qu'une forme d'entraînement en vue de l'évaluation sommative (Lusignan et Goupil, 1997).

Le fait d'opposer systématiquement l'évaluation formative à l'évaluation sommative n'a pas toujours eu des effets heureux. D'une part, l'opposition présente l'évaluation sommative comme indifférenciée alors que, comme nous le verrons plus loin, elle remplit différentes fonctions et prend divers visages selon le type de décisions à prendre. D'autre part, elle a entraîné une certaine polarisation des positions par rapport à l'évaluation. Pour les uns, l'évaluation formative manque de rigueur et devrait se conformer davantage aux exigences de la mesure. Pour les autres, au contraire, c'est l'évaluation sommative qui est mère de tous les maux et responsable des problèmes des systèmes éducatifs. Il est vrai, cependant, que la régulation que vise l'évaluation formative et la recherche de l'excellence qu'on associe à l'évaluation sommative procèdent de deux logiques différentes (Perrenoud, 1998). Il y a pourtant, entre l'évaluation formative étroitement intégrée dans la séquence didactique et l'évaluation sommative servant à sanctionner les apprentissages, des bilans d'étapes et, surtout, une régulation à géométrie variable dont nous voulons maintenant préciser les caractéristiques.

A. La microrégulation

On peut comparer la régulation pédagogique au travail du photographe qui, à l'aide de son téléobjectif, obtiendra tantôt une image très détaillée mais forcément fragmentaire, tantôt une image d'ensemble qui ne laisse plus voir les détails. La microrégulation permet à l'enseignant de voir les détails, c'est-à-dire de voir comment se déroulent les apprentissages au jour le jour. Elle apporte une information diagnostique, car elle permet souvent de mettre le doigt sur la cause de la difficulté qu'un élève peut avoir à un moment donné. Cette évaluation porte forcément sur les éléments qui composent la compétence. Ainsi, le professeur de sciences voudra vérifier la capacité des élèves à manipuler le tableau périodique, ce qui signifie qu'il lui faudra savoir si ses élèves en ont mémorisé les symboles chimiques et s'ils ont compris son fonctionnement. Il pourrait vérifier ces connaissances à l'aide d'un court test à la fin d'une leçon. De son côté, un enseignant du primaire pourrait décider d'organiser un jeu qui lui permettra de vérifier la maîtrise de la conjugaison des verbes « avoir » et « être » s'il pense que certains élèves éprouvent des problèmes à manier les temps du passé à cause d'une maîtrise imparfaite des auxiliaires. En histoire, il peut être tout à fait justifié d'évaluer la connaissance de certaines dates, en demandant aux élèves de placer des événements importants sur une ligne du temps, avant de se lancer dans des explications ou des projets dont la compréhension repose sur certaines connaissances incontournables liées à la séquence des événements. La vérification des attitudes peut également fournir à l'enseignant des éléments d'explication sur les difficultés qu'éprouvent certains élèves. Par exemple, dans le cadre d'une activité associée à l'éducation à la citoyenneté, l'enseignant pourrait être amené à cibler, à l'aide d'un court questionnaire, les attitudes (positives ou négatives) des élèves à l'égard des communautés culturelles. L'enseignant d'éducation physique pourrait aussi interroger ses élèves sur les perceptions qu'ils entretiennent relativement aux sports d'équipe.

La microrégulation se fait souvent par des moyens informels. Ainsi, plusieurs forces ou plusieurs faiblesses liées aux connaissances, aux habiletés ou aux attitudes peuvent être détectées par le simple questionnement oral en classe. Les travaux ponctuels qu'effectuent les élèves en classe ou à la maison peuvent aussi apporter une information utile pour ajuster l'enseignement. L'objectivation à la fin d'une activité pédagogique, c'est-à-dire le retour sur ce qui vient d'être fait en classe, peut être l'occasion de vérifier l'acquisition de certaines connaissances et d'effectuer un retour immédiat sur les apprentissages. L'utilisation d'une grille d'observation simple avec quelques élèves qui semblent éprouver des difficultés permet de leur fournir l'aide dont ils ont besoin. L'important est que la microrégulation conduise, lorsque cela est nécessaire, à un ajustement de l'enseignement à court terme ou à une modification des stratégies de l'élève. En ce sens, elle fait partie à la fois des mécanismes de rétroaction instantanée que l'enseignant met en place pour renseigner l'élève sur le déroulement de ses apprentissages et de ce que Lasnier (2000) nomme la « microplanification », c'est-à-dire la planification qui doit être faite au jour le jour.

B. La macrorégulation

La microrégulation contribue au développement d'attitudes ou d'habiletés et, surtout, au renforcement des connaissances. Nous devons cependant souligner que cette microrégulation ne suffit pas : il ne faut pas croire que le simple cumul de connaissances assure la mise en place d'une compétence. C'est pourquoi il est important que l'élève soit placé dans des situations plus larges et moins artificielles dans le cadre desquelles il doit mobiliser les connaissances, les habiletés et les attitudes qui composent la compétence. Il doit même faire face à des situations qui sollicitent plus d'une compétence. La rédaction d'un texte portant sur un enjeu social, un projet de recherche sur une période historique, la fabrication d'un objet (technologique ou artistique) sont des exemples de tâches qui demandent à l'élève de mettre à contribution diverses compétences ou, tout au moins, plusieurs éléments d'une même compétence. C'est en ce sens que nous parlons de tâches intégratives. Tout jugement sur le degré de développement d'une compétence doit s'appuyer sur des informations qui ont été recueillies à l'aide de tâches intégratives. Ainsi, à la manière du photographe qui utilise un grand angle, l'enseignant cherche à obtenir une image d'ensemble. Dans ce cas, nous parlons alors de macrorégulation.

La macrorégulation doit se faire d'une façon planifiée. L'effort de planification consistera, en bonne partie, à concevoir une tâche suffisamment complexe et réaliste et à s'assurer que l'évaluateur trouve dans sa réalisation les données nécessaires pour inférer qu'un élève pourra mettre en œuvre les compétences visées dans une variété de situations comparables. Nous pourrions dire, pour reprendre la terminologie de Lasnier, que la macrorégulation est habituellement planifiée dans le cadre de la « macroplanification », c'est-à-dire la planification que fait l'enseignant à l'échelle d'une étape scolaire, voire d'une année. Les résultats de la macrorégulation servent à fournir une rétroaction à l'élève et sont souvent consignés, du moins en milieu scolaire, pour éventuellement être communiqués aux parents.

Qu'il s'agisse de microrégulation ou de macrorégulation, il faut garder à l'esprit que ce qui importe ici, c'est le cheminement de chaque élève. Dans cette perspective, on peut concevoir que les moyens d'évaluer varient d'un élève à l'autre. Dans la plupart des cas, comme il est plus important d'obtenir des renseignements sur les progrès de l'élève que de le situer par rapport aux résultats attendus ou par rapport aux autres élèves, la régulation peut très bien se faire en privilégiant une interprétation dynamique.

3.2.4 Le bilan

Dans la plupart des systèmes scolaires, il y a des moments clés où il est important de déterminer jusqu'à quel point les apprentissages prévus sont effectivement réalisés. Avec la réforme du système scolaire québécois, ces moments correspondent à des fins de cycles qui comptent généralement deux années scolaires. C'est alors qu'on tente d'établir un bilan des compétences. L'objectif est de faire savoir à l'élève d'abord, à ses parents ensuite, mais aussi aux autres intervenants (notamment les enseignants du cycle suivant), si les objectifs du cycle ou le niveau de compétence prévu ont été effectivement atteints. Dans certains cas, cela peut signifier que l'enseignant ou l'équipe école fasse certains choix quant aux éléments à évaluer puisqu'il est difficile de tout évaluer. Ce qui est clair, cependant, c'est que l'interprétation critériée est à privilégier.

La difficulté de tout évaluer tient en partie au fait qu'il est souvent préférable que l'élève ait eu l'occasion, plus d'une fois, de démontrer l'atteinte de l'objectif ou du niveau de compétence visé. Cela permet d'éviter de généraliser en fonction d'une performance accidentelle résultant d'une circonstance exceptionnelle — un élève qui est perturbé le jour d'un examen, par exemple. Cela permet aussi de tenir compte de la marge d'erreur que les données, et l'interprétation qu'on en fait, comportent toujours. Par ailleurs, et cela rend le bilan encore plus complexe, il est important de faire état des apprentissages tels qu'ils se manifestent à la fin de la période. En ce sens, dans la préparation d'un bilan dans le contexte scolaire québécois, il est absurde de prendre en considération des mesures ou des observations qui auraient été recueillies au milieu d'un cycle dans le calcul d'une moyenne qui risque, finalement, de ne plus rien représenter.

Les destinataires de ces bilans s'attendent souvent à ce que ceux-ci soient exprimés de façon succincte par une moyenne. Il faut être très prudent dans l'établissement de moyennes lorsque cette demande existe. Tout au plus pourra-t-on combiner des résultats quantitatifs relatifs à des objectifs ou à des compétences qu'on sait reliés les uns aux autres. Une notion fondamentale d'arithmétique qu'on cherche à inculquer aux enfants est qu'on ne peut additionner des pommes avec des oranges. Or, c'est souvent ce qu'on fait quand on calcule des moyennes à partir de résultats scolaires. De façon générale, l'établissement d'un profil est beaucoup plus instructif qu'une moyenne.

3.2.5 La certification

Certaines évaluations ont une fonction davantage sociale que pédagogique. C'est ainsi que les avocats doivent réussir les examens du Barreau pour pouvoir pratiquer le droit, qu'un citoyen doit avoir réussi un test de conduite pour prendre le volant d'une voiture, que plusieurs nouveaux arrivants au Québec doivent réussir un test de français pour adhérer à un ordre professionnel et travailler. Dans ces exemples, l'évaluation a une fonction certificative. Grâce à eux, on peut facilement comprendre que l'interprétation critériée devrait prévaloir : qu'importe si un apprenti automobiliste est le meilleur d'un groupe provenant d'une école de conduite si personne n'a appris les manœuvres de dépassement ou de stationnement ! On peut aussi comprendre qu'en ce qui concerne la certification, on doit surtout recourir à des tâches intégratrices : conduire un véhicule automobile est une tâche qui exige plus que la simple connaissance des articles du Code de la route.

En milieu scolaire, les moments où la fonction de certification apparaît correspondent à des moments de délivrance de diplômes. Ainsi les finissants de collège doivent avoir réussi non seulement tous leurs cours, mais aussi une épreuve uniforme de français pour obtenir leur diplôme d'études collégiales. Au secondaire, l'obtention du diplôme d'études secondaires sera associée à une forme de certification qui émanera des services de sanction des études. La fonction de certification n'est pas toujours facile à concilier avec les fonctions que nous avons décrites précédemment. C'est pourquoi, quand elle est entièrement confiée à l'enseignant lui-même, certains problèmes peuvent survenir étant donné que cette fonction ne s'inscrit pas dans une relation d'aide entre l'enseignant et l'élève.

Il ne faut pas négliger l'effet de l'évaluation certificative. Celle-ci peut être décrite comme une évaluation à « enjeux critiques ». La fonction de certification joue un rôle social tellement important qu'elle colore souvent les pratiques pédagogiques. Certains élèves peuvent en venir à ne s'intéresser au travail scolaire que dans la mesure où il contribue directement à la réussite d'une épreuve de certification, ou adopter des comportements de bachotage qui ne sont pas toujours compatibles avec des apprentissages significatifs et durables. Il est donc particulièrement important que les systèmes scolaires n'abusent pas de cette fonction et qu'ils la réservent à des moments où l'élève doit démontrer ses compétences en vue de son insertion sociale — dans sa recherche d'emploi, par exemple. Il est aussi important de s'assurer que les moyens mis en place tiennent compte des conséquences liées à la décision de certification. Il faut alors s'assurer que les conditions de l'évaluation sont justes et équitables, et que les instruments respectent des exigences de validité et de fidélité élevées. Nous reviendrons sur ces notions, mais il importe de rappeler ici que la certification peut s'avérer coûteuse à cause des ressources qu'elle requiert.

3.2.6 La sélection

Il peut arriver que l'évaluation serve à déterminer les meilleurs élèves en vue de leur admission dans un programme contingenté. De nombreux établissements scolaires à vocation particulière, parfois publics mais le plus souvent privés, cherchent à attirer les élèves les plus doués et ne se contentent pas des résultats scolaires. Ils font passer des épreuves de sélection. Il n'est pas certain que ces épreuves mesurent les apprentissages scolaires. De fait, on peut penser que, dans de nombreux cas, elles mesurent des aspects associés à certaines formes d'intelligence. Qu'importe, puisqu'elles permettent de retenir, parmi les candidats possibles, ceux dont les probabilités de réussite sont élevées ! Compte tenu des capacités d'accueil de ces établissements, et puisqu'il s'agit de repérer les « meilleurs » candidats, on comprendra que l'interprétation de ces épreuves est habituellement normative.

3.2.7 Le pilotage

Une autre fonction de certaines évaluations est de contrôler la qualité de l'enseignement et de l'apprentissage, et d'intervenir, le cas échéant, pour parfaire les compétences des enseignants, pour améliorer l'efficacité des moyens d'apprentissage, pour allouer des ressources supplémentaires ou pour modifier des programmes. C'est en ce sens que nous parlons de pilotage d'un système éducatif. Ce type de contrôle n'oblige pas les responsables à mesurer tous les apprentissages de tous les élèves inscrits à chacun des niveaux du système puisqu'il s'agit de porter un jugement sur un programme, un établissement ou un système éducatif plutôt que sur les élèves. Il s'agit, le plus souvent, de prélever dans la population visée un échantillon représentatif des sujets, de leur faire passer des examens standardisés et d'interpréter les résultats à la lumière des comparaisons utiles qu'on peut faire entre les normes globales du groupe et les résultats des différents sous-groupes concernés. C'est l'approche qui est suivie dans les enquêtes internationales. Cette approche suppose habituellement qu'on procède à une interprétation normative puisqu'on tente de situer des personnes ou des sous-groupes à l'intérieur d'un groupe plus large. Toutefois, la fonction de pilotage peut aussi faire appel à une interprétation critériée lorsqu'elle consiste à faire connaître les secteurs d'apprentissage les plus vigoureux ou les plus anémiques.

Le tableau 3.2 présente une comparaison synthétique entre des fonctions de l'évaluation telle qu'elle apparaît à l'enseignant ou au gestionnaire.

Tableau 3.2   Les fonctions de l'évaluation dans une approche par compétences

FONCTION	Objet habituellement évalué	Type d'interprétation favorisée	Fréquence de l'évaluation
Classement	Compétences (ou aptitudes)	Normative	Occasionnelle
Pronostic	Aptitudes	Normative	Occasionnelle
Microrégulation	Éléments de compétence	Critériée ou dynamique	Continue
Macrorégulation	Compétences	Critériée ou dynamique	Très fréquente
Bilan	Compétences	Critériée	Fréquente
Certification	Compétences	Critériée	Occasionnelle
Sélection	Compétences	Normative	Occasionnelle
Pilotage	Compétences	Normative	Occasionnelle

Les caractéristiques des instruments de mesure

La fonction propre des instruments de mesure ou d'observation consiste essentiellement à fournir des renseignements pertinents et précis qui permettent de porter des jugements sur les apprentissages et, par conséquent, de prendre des décisions éclairées. Or, à cause de la nature même des phénomènes qu'on essaie de mesurer et d'observer, les données qui sont recueillies à leur sujet demeurent souvent incomplètes ou erronées, et les évaluations, partielles ou déformées. C'est pourquoi les efforts des spécialistes en évaluation portent principalement sur la qualité des instruments, dans le but d'en améliorer la validité et la fidélité et, du même coup, d'améliorer le jugement qui en découle. On doit cependant toujours garder à l'esprit qu'un instrument n'est jamais parfait puisqu'il n'est jamais tout à fait valide ni tout à fait fidèle.

Il convient de se demander, à ce moment-ci, quelles caractéristiques ces instruments ainsi que les données qu'ils procurent doivent posséder pour rendre les services qu'on en attend. Cette question nous amène à préciser dans ce chapitre des notions importantes, comme celles d'erreur de mesure, de fidélité et de validité. Nous terminerons en énumérant les qualités secondaires des instruments de mesure.

4.1 Les erreurs de mesure

Plusieurs raisons expliquent pourquoi l'évaluation des apprentissages n'est pas aussi rigoureuse qu'on le souhaite. Tout d'abord, même lorsqu'on dispose d'instruments de mesure précis, des variations peuvent être constatées. Par exemple, tout le monde sait que les compteurs de vitesse des voitures ne donnent pas toujours une idée tout à fait juste de la vitesse réelle. Il en est de même des appareils qui affichent la masse d'un objet, de ceux qui donnent la densité d'une solution, de ceux qui estiment divers indices des changements atmosphériques, etc.

Une difficulté supplémentaire s'ajoute dans les sciences humaines, où la mesure ou l'observation des phénomènes est indirecte ; nous avons indiqué, dès le premier chapitre, qu'on ne mesure ni n'observe jamais le changement lui-même, mais bien ses manifestations extérieures, c'est-à-dire la performance. Or, cette performance, aussi liée à la compétence qu'elle puisse paraître, n'exprime pas toujours toute la réalité du changement interne correspondant et cette seule réalité. Les instruments de mesure ne captent qu'une partie de la complexité des apprentissages et ne donnent pas toujours les mêmes données d'une fois à l'autre. Pour ce qui est de l'observation, la performance passe par le crible de l'évaluateur qui, selon les circonstances, ne réagit pas toujours de la même manière. L'observateur qui note les comportements de l'individu interprète souvent ces comportements comme des indices plus ou moins révélateurs des apprentissages, mais il peut se tromper. Bref, dans toute évaluation des apprentissages, il n'y a pas une correspondance parfaite entre la performance et la compétence : qu'il s'agisse de mesure ou d'observation, les données recueillies sont toujours affectées par diverses sources d'erreurs. Ces variations constituent ce que les spécialistes appellent des erreurs de mesure.

Les erreurs de mesure peuvent entacher les résultats des épreuves ou des examens, ou, encore, fausser les observations recueillies à l'aide des instruments d'observation. David A. Payne (1968, p. 21), imitant en cela plusieurs spécialistes de la mesure, classe ces erreurs de mesure en deux catégories distinctes : les erreurs systématiques et les erreurs non systématiques. Ce n'est pas une classification bien originale, mais elle permet d'illustrer la variété de ces erreurs de mesure.

4.1.1 Les erreurs systématiques

Les erreurs systématiques sont les erreurs causées par certains facteurs qui touchent de la même manière toutes les personnes qui sont soumises à une évaluation ou qui influencent chaque fois certaines personnes de la même manière.

Ainsi, si on fait passer un examen à un groupe d'élèves un vendredi après-midi, à la veille d'une tempête de neige ou d'un événement excitant comme un carnaval d'hiver ou une fête populaire importante, on n'obtiendra probablement pas les mêmes résultats que si on le fait passer un mardi matin, dans des circonstances plus propices. Dans ce cas, le moment de la semaine que l'on choisit pour faire passer l'examen pourrait devenir une source d'erreurs systématiques qui affecteraient les résultats de tous les élèves. D'autres facteurs, comme le temps alloué, les directives données au début de l'examen, l'éclairage et le chauffage de la pièce, le manque d'espace ou d'aération, le climat général de la classe au moment d'un examen peuvent aussi être à l'origine d'erreurs systématiques.

Les jeunes enfants ne sont pas toujours capables de fournir une attention soutenue pendant une longue période. Si on leur demande de répondre à un trop grand nombre de questions à la fois, ils se fatiguent, leur concentration fléchit et leurs résultats traduisent cette défaillance. La même épreuve, scindée en deux sous-épreuves, que l'on ferait passer séparément à deux moments différents, refléterait mieux leur apprentissage véritable. La durée de l'épreuve, avec la fatigue qui y est associée, peut donc, elle aussi, être la cause d'erreurs systématiques.

Un examen à réponses construites (par exemple, la production d'un texte), corrigé par deux enseignants différents — l'un plus strict et plus exigeant, l'autre moins sévère ou plus accommodant —, produira des données différentes même si les élèves ont atteint de la même manière les objectifs mesurés. C'est l'attitude de l'examinateur, généreuse ou parcimonieuse, qui devient alors la source d'erreurs systématiques de mesure.

Certaines situations peuvent favoriser davantage un sous-groupe plutôt qu'un autre. Ainsi, une épreuve de lecture peut amener des différences en fonction du sexe lorsque le thème du texte à lire est plus familier aux filles qu'aux garçons, ou l'inverse, même si les compétences des élèves sont semblables. Des membres des communautés culturelles peuvent aussi être pénalisés lorsque la situation d'évaluation comporte des références culturelles qui n'existent pas dans leur culture. Ce phénomène correspond à ce que les spécialistes de l'évaluation appellent un biais. Tout biais engendre des erreurs systématiques.

Ces erreurs peuvent également dépendre de certains traits de personnalité d'une personne en particulier, quand ces traits jouent chaque fois qu'elle se trouve en situation d'évaluation. En effet, certaines personnes, sûres d'elles-mêmes, confiantes dans leurs moyens, donnent leur pleine mesure dans n'importe quel type d'épreuve ; elles aiment passer des examens et acceptent volontiers l'effort demandé et le stress qui en découle. D'autres doutent d'elles-mêmes, craignent toujours de se tromper, hésitent devant chaque question et pensent aux examens avec appréhension ; elles n'aiment pas les examens et, par conséquent, s'énervent et paniquent facilement quand elles les voient venir. À compétence égale, il est évident que les premières ont des chances d'obtenir de meilleurs résultats que les secondes. Dans ce cas, ces données ne traduisent pas exactement la réalité qu'ils sont censés mesurer. L'habileté à lire un texte lors d'une épreuve verbale, l'habileté à écrire lors d'un examen traditionnel, la capacité à s'intégrer dans un projet collectif, la gêne et la timidité au moment d'un examen oral, la mémoire et la culture générale, dans tous les cas, sont des facteurs qui affectent de façon systématique les données, chaque fois que les élèves doivent affronter une situation d'évaluation formelle.

4.1.2 Les erreurs non systématiques

Les erreurs non systématiques sont les erreurs attribuables à des facteurs qui n'affectent pas de la même manière tous les élèves ayant fait les mêmes apprentissages et ayant les mêmes caractéristiques, ou qui n'influencent pas de la même manière la même personne d'un moment à l'autre. Supposons, par exemple, que les directives accompagnant un examen ne sont pas très claires et que certains élèves demandent au surveillant des précisions que celui-ci leur fournit individuellement, en diversifiant les explications ; d'autres élèves ne se donnent pas la peine de se renseigner et répondent au meilleur de ce qu'ils peuvent comprendre. Dans ce cas, l'ambiguïté des consignes devient la cause d'erreurs non systématiques. La forme inusitée de certaines questions, l'arrangement des items et la motivation des élèves au moment de l'examen peuvent également engendrer ce type d'erreurs où les élèves, individuellement, sont affectés de façon aléatoire, imprévisible.

D'autres erreurs de mesure, considérées comme accidentelles, peuvent être causées par les dispositions personnelles de l'élève ou de l'examinateur. Un observateur peut se laisser distraire, manquer de concentration ou devenir trop fatigué et ne pas noter certains aspects importants de la performance d'un élève. L'enseignant qui corrige un nombre considérable de compositions françaises ou de travaux écrits peut être impressionné par les meilleures copies ou par les moins bonnes ; s'il travaille longtemps, la fatigue peut diminuer sa capacité de discrimination. L'ensemble de ces facteurs, qu'on ne peut généralement pas contrôler, engendre des erreurs non systématiques parfois difficiles à déceler.

Cette classification des erreurs de mesure en erreurs systématiques et en erreurs non systématiques est imparfaite parce que ces deux catégories ne s'excluent pas l'une l'autre, le même facteur pouvant aussi bien affecter tous les élèves que quelques élèves seulement. Ainsi, une salle mal éclairée peut entraver le rendement de toute la classe à un examen alors que, dans un autre cas, elle ne nuit qu'aux élèves qui sont éloignés des fenêtres ou des sources de lumière.

L'important, pour le moment, n'est pas d'inventorier toutes les sources d'erreurs et de les classer en ordre, mais plutôt d'en prendre conscience et de comprendre qu'elles tiennent à la complexité du phénomène d'apprentissage, au caractère indirect de la mesure en ce domaine, à la personne qui observe et aux caractéristiques mêmes des instruments. Les dangers étant connus, l'enseignant peut d'abord essayer de les éviter en améliorant le plus possible la façon de recueillir les informations. Ensuite, il lui faut faire preuve de prudence et de circonspection au moment de l'interprétation de ces données, en se demandant de quelle manière elles reflètent les apprentissages réels et jusqu'à quel point elles ne sont pas entachées d'erreurs — qu'elles soient systématiques ou non systématiques.

Il ne sera jamais possible d'éliminer toutes les erreurs attribuables à la personnalité des élèves ou à celle des enseignants. On peut cependant les diminuer de même qu'on peut améliorer les instruments de mesure ou d'observation eux-mêmes et les conditions dans lesquelles ils sont utilisés. C'est pourquoi il faut essayer de concevoir des situations d'évaluation qui favorisent la manifestation maximale des apprentissages qu'on veut évaluer.

4.2 La validité de la mesure

La validité est l'aspect le plus important à considérer dans un instrument de mesure ou d'observation. Le concept de validité fait référence à la justesse, à la signification et à l'utilité des inférences faites à la lumière des données obtenues à l'aide d'un instrument. À proprement parler, on ne valide pas un instrument de mesure, on ne fait qu'apporter des preuves plus ou moins convaincantes que les inférences que génèrent les données sont justes, significatives et utiles. Les catégories que nous présentons dans cette section correspondent donc à différents types de preuves (Moss, 1995). Même s'il y a plusieurs façons d'établir ces preuves, la validité demeure un concept unitaire et elle concerne toujours le degré avec lequel les preuves étayent les inférences faites à l'aide des observations ou des scores (Messick, 1989). On peut valider les inférences se rapportant à des aspects spécifiques de l'instrument; on ne peut valider l'instrument lui-même. De plus, cette validation ne vaut que pour un usage particulier, que pour les situations prévues. Bref, comme le souligne Gronlund (1988, p. 136), la validité possède les caractéristiques suivantes:

- elle est inférée de la preuve, elle n'est pas mesurée;
- elle dépend de plusieurs genres de preuves;
- elle s'exprime en degrés: élevé, moyen, faible;
- elle concerne un usage particulier;
- elle se rapporte aux inférences faites, non à l'instrument de mesure lui-même;
- elle est un concept unitaire: il n'y a pas divers types de validité, mais une validité démontrée par diverses formes de preuves.

Il arrive parfois — surtout lorsque les ressources sont très limitées — qu'on doive se satisfaire d'un seul type de preuve de la validité des inférences. L'idéal consiste cependant à recourir à toutes les preuves disponibles. En effet, on est dans une meilleure situation pour formuler des inférences valides en fonction de données obtenues à l'aide d'un instrument de mesure ou d'observation si on a très bien examiné les éléments suivants:

- la nature du contenu de l'instrument et la description qu'on en a faite au moment de la conception;

- la relation entre les données obtenues avec l'instrument et d'autres données choisies comme point de comparaison, comme critères ;

- la correspondance des éléments de la caractéristique psychologique ou de la compétence à évaluer, tels qu'ils sont décrits dans les modèles théoriques, avec les différentes composantes de l'instrument.

Chacun de ces éléments correspond à un type différent de preuve qui peut être invoquée. Nous allons les décrire dans les pages qui suivent.

4.2.1 La preuve par le contenu

Lorsqu'on évalue l'apprentissage réalisé par les élèves en classe, la preuve de la validité des inférences basée sur la qualité du contenu de l'instrument a d'autant plus d'importance que, en pratique, il est très difficile, sinon impossible, d'utiliser les deux autres types de preuves dans un contexte d'enseignement, comme nous le verrons plus loin. Autrement dit, si l'enseignant veut prendre de bonnes décisions à la lumière de mesures comme le score à un examen, à un test ou à un jeu de questions-réponses, ou à la lumière d'observations tirées d'une performance au regard de critères prédéterminés, il faut à tout prix qu'il puisse compter sur une correspondance très étroite entre ces données et le contenu d'apprentissage qu'elles doivent servir à évaluer.

Fondamentalement, il faut donc démontrer que la performance de l'élève, traduite par les données obtenues, reflète bien son apprentissage du contenu. La preuve par le contenu s'appuie sur deux caractéristiques : la congruence et la représentativité. La congruence réfère au lien logique qui doit exister entre la performance et la compétence. En d'autres termes, l'évaluateur doit pouvoir affirmer que le résultat de l'élève est une indication du développement de la compétence parce que la tâche mobilise les ressources qui sont associées à cette compétence. Par exemple, dans une situation de régulation, l'enseignant peut induire qu'un élève maîtrise le vocabulaire lié à un domaine particulier si cet élève peut expliquer à un pair le sens des termes techniques d'un texte relatif à ce domaine. Par contre, on ne pourrait dire d'une tâche qui doit permettre de vérifier la capacité de résoudre un problème en physique qu'elle est congruente s'il suffit à l'élève de mémoriser une formule. Quand on observe une performance, le choix des critères de correction est également déterminant par rapport à la validité de contenu. Par exemple, l'évaluation d'un exposé oral où l'on ne prendrait pas en considération le rythme et l'intonation pourrait poser un problème de congruence, car on reconnaît un lien logique entre ces caractéristiques et la qualité d'un exposé oral.

Pour Kane, Crooks et Cohen (1999), la congruence permet un premier niveau d'inférence. À un second niveau, il faut viser la représentativité. Celle-ci est assurée lorsque les tâches soumises à l'élève constituent un échantillon valable de l'ensemble des autres tâches qu'on pourrait imaginer pour évaluer les mêmes objectifs ou les mêmes compétences. Ainsi, lorsqu'une épreuve est composée d'une cinquantaine de questions, on doit pouvoir supposer que ces questions représentent adéquatement l'ensemble du domaine. L'élève qui obtient un score fort ou faible en répondant aux 50 questions devrait obtenir un score fort ou faible aux milliers de tâches qu'on pourrait imaginer, si on pouvait toutes les lui soumettre. Comme nous le verrons dans le chapitre suivant, la construction d'un instrument à l'aide d'un tableau de spécifications permet de vérifier la représentativité d'une épreuve. De même, lorsqu'on soumet à un élève une tâche complexe (comme une production écrite sur un sujet précis) pour vérifier le degré de développement d'une compétence, on doit s'assurer que cette tâche fait partie de l'univers des tâches réalisables par la mise en œuvre des ressources que recouvre la compétence. Dans ce cas, la preuve de la validité par le contenu se fait par une analyse de la tâche : il faut s'interroger sur son caractère générique, c'est-à-dire sur les caractéristiques qu'elle partage avec d'autres tâches qui sollicitent les mêmes ressources.

4.2.2 La preuve par les critères

Quand on parle de preuve par les critères, il ne faut pas confondre les critères dont il est question ici avec les critères qui servent à la correction, et dont nous traiterons au chapitre 6. Il s'agit plutôt des données obtenues avec des instruments déjà validés que l'on compare aux données fournies par l'instrument à mettre au point. Il y a deux façons d'invoquer la preuve par les critères pour démontrer la validité des inférences faites en fonction des données d'un instrument de mesure. On utilise la première façon lorsque les données obtenues avec l'instrument servent à prédire la performance future de l'élève dans d'autres situations d'évaluation (décisions de prédiction) ; les données dans ces autres situations deviennent alors les données critères. Ainsi, on peut se servir d'un test d'aptitude scolaire pour prédire les résultats dans un cours particulier ; les résultats obtenus à ce cours servent de critère pour démontrer la validité des résultats du test d'aptitude quant à la prédiction du succès futur. On valide souvent de cette façon les instruments qui servent à la sélection ; par exemple, un établissement privé peut comparer les résultats à son test d'admission avec les résultats des élèves admis aux examens de fin d'année.

On utilise la seconde façon lorsque, après s'être servi d'un instrument, on prête attention à la convergence entre les données qu'il fournit et celles obtenues avec d'autres instruments de mesure qui servent alors de critères. Ainsi, on peut établir la convergence entre les scores à un nouveau test sur les habiletés à étudier et les observations recueillies à l'aide d'une grille d'appréciation régulièrement utilisée en classe pour observer les élèves en situation d'étude. Dans ce cas, les données de l'observation servent de critère : si les scores du nouveau test convergent avec ce qu'on trouve par l'observation, on peut décider d'utiliser le nouveau test dans des situations où cela est plus commode. Ce type de preuve est souvent utilisé lorsqu'on veut vérifier la qualité d'un nouvel instrument de mesure ou mettre au point une version simplifiée d'un instrument de mesure déjà existant.

On le comprendra facilement, le point névralgique dans la preuve par les critères, c'est la relation entre les deux ensembles de données, relation exprimée généralement par le coefficient de corrélation (un indice dont la valeur varie entre -1 et 1), qui représente l'intensité de cette relation. Le calcul de la corrélation se fait surtout dans les situations où l'on veut développer des instruments standardisés. Pour les évaluations faites en classe, il est généralement peu avantageux de tenter d'appliquer la preuve par les critères. Il vaut mieux s'en tenir à une preuve par le contenu, c'est-à-dire s'assurer de la congruence et de la représentativité de l'instrument tout en contrôlant bien les conditions de passation et de correction.

4.2.3 La preuve par le construit

Dans la perspective d'un programme par compétences, on peut définir un construit comme un ensemble de variables qui représente le réseau d'habiletés, d'attitudes et de connaissances composant une compétence, de même que les interactions entre celle-ci et les autres compétences. Il s'agit donc d'un modèle théorique, que les spécialistes des différentes disciplines élaborent pour rendre compte des structures mentales qui se construisent au cours de l'apprentissage. Démontrer la validité par le construit revient à démontrer que la nature de l'information obtenue avec un instrument est conforme au modèle théorique. Par exemple, si on veut s'assurer qu'en réussissant un examen de mathématiques portant sur la résolution de problèmes l'élève a effectivement mis en branle le réseau d'habiletés, d'attitudes et de connaissances qui devrait l'amener à résoudre le type de problèmes présentés, on doit se référer aux rubriques d'une grille d'appréciation de l'autonomie en classe et en inférer qu'il est vraiment autonome. Cette preuve de validité par le construit comprend les points suivants :

- une description du modèle théorique qui constitue le construit ;

- une description de la conception de l'instrument ou de tout autre aspect de l'évaluation susceptible d'influencer les résultats (la durée de l'épreuve, le nombre d'items, les conditions de réalisation du projet, par exemple) ;

- une étude des liens entre les données obtenues avec l'instrument et les données fournies par d'autres instruments en rapport avec le même construit ou d'autres variables plus ou moins rapprochées ;

- toute autre information susceptible de modifier la signification des données, comme le stade de développement, le processus mental concerné, la valeur prédictive des résultats, etc.

Le genre de preuve dont on a besoin pour une épreuve en particulier dépend bien sûr de la nature du construit et de l'utilisation des résultats. Comme la validation par les critères, ce type de preuve exige que l'instrument soit mis à l'essai auprès d'un groupe expérimental et que les données soient ensuite analysées. La façon habituelle de prouver la validité par le construit est d'analyser les corrélations entre les données émanant de diverses sections ou de divers critères d'une épreuve et d'autres mesures concurrentes, et de voir si les liens qu'on trouve respectent le construit. Par exemple, dans un questionnaire sur les attitudes à l'égard de l'école, on devrait trouver une corrélation plus forte entre l'intérêt pour les études et le temps passé à faire du travail personnel qu'entre l'intérêt pour les études et le temps consacré aux activités parascolaires. Dans un texte d'opinion, la corrélation entre des critères comme la cohérence et la force de l'argumentation devrait être plus élevée que celle entre la cohérence et la syntaxe ; cette dernière corrélation devrait, par ailleurs, être forte dans des épreuves de grammaire.

En principe, la validation n'a pas de limite, car on peut toujours améliorer la preuve ; toutefois, en pratique, seules les preuves les plus importantes sont données. Au Québec, un exemple bien connu de ce genre de preuve est la démarche utilisée pour préparer les épreuves de mesure des apprentissages au primaire et au secondaire, qui sont colligées dans la Banque d'instruments de mesure (BIM) (Auger et Fréchette, 1984, 1988). Avec le développement de situations d'évaluation où l'élève doit réaliser une performance complexe qui se prête mal à des opérations de mesure, on voit maintenant apparaître des approches plus qualitatives de la validation. On observe alors le comportement des élèves pendant qu'ils réalisent une tâche dans le but de vérifier si les stratégies utilisées et les processus mis en branle correspondent à ce que prévoit le construit.

De toutes les preuves, celle fondée sur le construit est certes la plus vaste. De fait, elle inclut les deux autres, celles qui portent sur le contenu et sur les critères. Appliquée à un cas d'espèce, soit un test conçu pour évaluer l'habileté à raisonner au cours de la résolution de problèmes en mathématiques, la preuve par le construit pourrait comporter les aspects suivants :

- comparer les tâches de l'instrument de mesure avec celles que devrait normalement inclure le construit ;

- examiner les caractéristiques de l'instrument de mesure et leur influence sur la signification des résultats : longueur, niveau de langage, consignes ;

- analyser le processus mental utilisé pour répondre et vérifier s'il faut le contrôler explicitement ou non dans l'instrument ;

- estimer la consistance interne de l'instrument (corrélations entre les items) et vérifier si seule la caractéristique envisagée est mesurée (l'habileté à raisonner) ;

- comparer les données obtenues avec l'instrument à celles provenant d'autres instruments utilisés pour mesurer ou observer la même caractéristique ou des caractéristiques voisines ;

- comparer les données obtenues avec l'instrument dans divers groupes aux caractéristiques connues (élèves plus doués, plus faibles, etc.) et vérifier si elles produisent une discrimination dans le sens prévu ;

- comparer les données obtenues avant et après l'apprentissage et vérifier si elles varient dans le sens que le construit prédit ;

- comparer les données obtenues avec l'instrument de mesure aux données obtenues pour d'autres composantes du construit (d'autres habiletés en mathématiques).

Il convient de rappeler, encore une fois, que l'enseignant qui veut juger de la validité des instruments utilisés en classe devrait privilégier la preuve la plus simple, soit celle par le contenu. Malgré la complexité que peut finir par avoir la démonstration de la validité, il importe de garder à l'esprit que le but est toujours de s'assurer que l'instrument permet d'évaluer ce qui doit être évalué en se posant des questions qui portent sur des aspects différents (voir le tableau 4.1).

4.3 La fidélité de la mesure

La notion de validité s'explique assez bien et les enseignants la comprennent généralement sans trop de difficulté. Cependant, celle de fidélité demeure plus obscure et plus difficile à cerner. Même si elle n'intéresse pas autant les praticiens que les spécialistes de la mesure, il est bon de la situer par rapport à la validité, ne serait-ce que pour mieux comprendre les limites des instruments.

Nous allons essayer de jeter de la lumière sur cette question en analysant le concept même de fidélité et en examinant la façon dont on calcule les indices de fidélité.

4.3.1 Le concept de fidélité

La langue française ne possède pas de terme adéquat pour traduire exactement ce que les anglophones appellent *reliability*. Le mot anglais désigne la confiance qu'on peut avoir dans un instrument et dans les données qu'il fournit. À cet égard, le terme « fiabilité » pourrait mieux convenir, mais l'usage semble avoir donné préséance au terme « fidélité ».

La fidélité est associée à la précision. Ce qu'il faut d'abord comprendre, c'est que la fidélité d'un instrument ne constitue pas une caractéristique indépendante de la validité ; s'il est valide, il sera vraisemblablement fidèle. Par exemple, si un instrument de mesure convient parfaitement, compte tenu de la décision à prendre, et qu'il ne mesure que ce qu'il devrait mesurer et rien d'autre, il n'y a donc pas d'erreurs — systématiques ou non. En pratique, on a vu qu'il n'en est pas toujours ainsi et que les données sont toujours entachées par des erreurs. À cause de toutes les erreurs qui peuvent se produire au cours de la démarche, la concordance n'est jamais parfaite entre les comportements observés et les apprentissages réels des élèves. On peut penser, pour illustrer le propos, à la construction d'un prototype d'avion : même si sa conception et sa fabrication respectent les règles de l'art, on n'en connaît les vraies

Tableau 4.1   Les types de preuves de validité

TYPE DE PREUVE	QUESTION
Preuve par le contenu	Jusqu'à quel point la tâche à réaliser par l'élève ou les items sélectionnés correspondent-ils au domaine à évaluer ?
Preuve par les critères	Jusqu'à quel point la performance permet-elle de prédire la performance future (validité prédictive) ou concorde-t-elle avec l'évaluation fournie par d'autres instruments (validité concurrente) ?
Preuve par le construit	Jusqu'à quel point peut-on expliquer la performance en se fondant sur une analyse des caractéristiques psychologiques ou sur les construits théoriques ?

performances qu'après de multiples essais et plusieurs mises au point. De même, un examen a beau avoir été préparé consciencieusement, il comporte des faiblesses et des imperfections que l'analyse des réponses révélera en partie. C'est pourquoi, après avoir déployé tous les efforts nécessaires pour en assurer la validité, on doit vérifier sa fidélité, c'est-à-dire la précision avec laquelle il mesure les apprentissages.

Les erreurs non systématiques, de par leur caractère aléatoire, affectent la fidélité d'un instrument. Quant aux erreurs systématiques, elles affectent la fidélité (par exemple, quand deux correcteurs ne s'entendent pas sur une même production), mais peuvent aussi affecter directement la validité (par exemple, quand on trouve un biais). Le calcul des indices de fidélité vise à rendre compte de l'effet des erreurs sur la qualité des données. Dans l'interprétation des indices de fidélité, on doit prendre en considération la fonction de l'évaluation. Ainsi, un enseignant qui évalue pour des fins de régulation n'aura pas à se préoccuper beaucoup de la fidélité. En effet, ce qui est primordial en régulation, c'est que l'évaluation des apprentissages se fasse de façon régulière, intégrée et simple. Par contre, dans une situation de certification, où la décision risque d'avoir des effets majeurs, il faut s'assurer d'atteindre des niveaux élevés de fidélité. Par exemple, qui accepterait de subir une intervention chirurgicale menée par un médecin dont les compétences auraient été attestées par des examens fortement entachés d'erreurs ? On peut examiner de plus près les différentes façons de calculer les indices de fidélité.

4.3.2 Les indices de fidélité

Les statistiques définissent la fidélité comme le degré de concordance entre la variance observée (en incluant les erreurs) et la variance réelle (en excluant les erreurs); autrement dit, il s'agit du degré de correspondance entre les niveaux d'apprentissage effectivement atteints par les élèves et les scores qu'ils obtiennent. Plus les deux variances se ressemblent, plus l'examen est fidèle; plus l'écart entre les deux est grand, moins l'examen est fidèle. En d'autres termes, si un instrument est fidèle, la distribution de ce qu'on mesure ou observe correspond à la distribution des apprentissages invisibles qu'on veut évaluer. La fidélité d'un examen ne se vérifie pas directement, car on ne dispose d'aucune technique pour exclure les erreurs, c'est-à-dire pour comparer ce qu'on voit à ce qu'on ne voit pas. Ce qu'on peut calculer, ce sont des indices ou des coefficients de fidélité qui permettent d'émettre des hypothèses plus ou moins probables sur la partie de la variance attribuable aux apprentissages réels des élèves et la partie de la variance attribuable aux erreurs qui se seraient glissées dans les données recueillies. Ces indices de fidélité ne constituent qu'une approximation, qu'une estimation de la fidélité. On les interprète habituellement comme des coefficients de corrélation, un indice de 1 traduisant une fidélité parfaite mais qui reste, en pratique, inaccessible.

Une façon d'avoir une idée de l'effet des erreurs sur les données est d'essayer de voir jusqu'à quel point elles sont stables. Pour rendre opérationnelle cette notion de stabilité, les spécialistes de la mesure proposent deux types d'indices : des indices fondés sur la réplicabilité des résultats dans le temps et des indices fondés sur la consistance interne des épreuves.

A. La réplicabilité

Une première façon d'évaluer la fidélité d'une épreuve consiste à la faire passer deux fois dans un laps de temps assez court. Si la corrélation entre les deux séries de données est assez élevée, on a de bonnes raisons de croire que l'examen est fidèle, c'est-à-dire stable ; dans le cas contraire, on doit s'interroger sur sa qualité technique. Un indice de fidélité se rapprochant de 1 ne prouve pas qu'un examen est précis ou fidèle ; il incite seulement l'examinateur à croire que cet examen a des chances de refléter assez exactement la réalité puisqu'il la mesure deux fois de la même manière. On raisonne au regard de cet instrument de mesure comme on réagit au regard d'autres instruments de mesure. Si on pèse un objet assez lourd deux fois sur la même balance et qu'elle pointe vers le même chiffre, on ne se pose pas de questions, même si elle donne quelques grammes en plus ou en moins. Mais si elle ne donne pas le même résultat d'une fois à l'autre, on conclut vite qu'elle est déréglée ou brisée. La stabilité des données est un bon indice de la fidélité d'un instrument de mesure.

En évaluation des apprentissages, la technique des deux tenues successives (c'est-à-dire faire passer la même épreuve deux fois) présente cependant des inconvénients. En effet, si les deux tenues sont rapprochées dans le temps, la première constitue un excellent exercice d'apprentissage pour mieux réussir la seconde. Dans ce cas, les deuxièmes scores peuvent être supérieurs aux premiers et la corrélation entre les deux séries de scores peut refléter l'influence de ce facteur étranger, même si celui-ci devrait, en principe, affecter tous les sujets de la même manière. Par ailleurs, si les deux tenues sont séparées par un laps de temps plus considérable, les sujets peuvent apprendre ou comprendre, la deuxième fois, des choses qu'ils ne savaient pas ou ne comprenaient pas la première fois. Par conséquent, ils obtiendraient de meilleurs résultats, indépendamment de la fidélité de l'épreuve.

Devant ce problème, les constructeurs d'épreuves standardisées préfèrent souvent préparer deux formes parallèles et équivalentes du même examen et les faire passer séparément. Les deux formes, qui prétendent mesurer les mêmes apprentissages, devraient produire les mêmes résultats et donner de ces apprentissages la même image. L'indice de corrélation, calculé à partir des deux distributions obtenues, est encore un indice de la fidélité de l'épreuve, traduite, cette fois-ci, par l'équivalence des deux formes.

La technique que nous venons de décrire convient lorsqu'il s'agit d'épreuves à correction objective, comme un test composé de questions à choix multiple. Cependant, il est aussi possible d'appliquer le principe de la réplicabilité lorsqu'il s'agit de l'évaluation d'une performance complexe qui fait appel à un observateur. Dans ce cas, la principale source d'erreurs est le correcteur lui-même. Par exemple, s'il s'agit d'une production écrite, on peut vérifier la stabilité des résultats dans le temps en demandant au correcteur d'évaluer les copies d'un groupe d'élèves deux fois, en s'assurant que sa première évaluation n'influence pas la seconde (on peut masquer les noms des élèves) et en prévoyant un intervalle de temps suffisamment long entre la réalisation des deux productions. Le coefficient de corrélation entre les deux ensembles est ce que nous nommons un indice de fidélité « intracorrecteur ».

B. La consistance interne

Pour éviter les deux tenues successives ou la construction de deux formes équivalentes d'un examen, luxe que ne peuvent se permettre les enseignants, on peut encore trouver un indice de fidélité de l'examen en mettant en corrélation deux parties comparables du même examen. Selon le regroupement d'items, on peut comparer :

- deux groupes d'items choisis au hasard ;
- les items pairs aux éléments impairs ;
- la première moitié de l'examen à la seconde ;
- à la limite, les différents items entre eux, ou chaque item avec l'ensemble des autres items.

Cette approche est fondée sur l'hypothèse que l'ensemble du test mesure un attribut unique (un trait psychologique ou une compétence, par exemple). Si le test mesure ce qu'il est censé mesurer, et ce, avec une certaine précision, la performance des élèves dans différentes parties du test, par exemple, dans les items pairs et dans les items impairs, devrait être comparable. À cause des facteurs incontrôlables déjà mentionnés et de la diversité des objectifs mesurés, l'adéquation ne peut pas être parfaite entre toutes les distributions de données ainsi formées. Elle doit cependant être assez visible pour traduire une certaine fidélité et inspirer confiance. C'est sur cette base que l'on calcule le coefficient de consistance interne.

Avec l'accès à des programmes informatiques, on peut maintenant calculer le coefficient de consistance interne en mettant en corrélation les réponses données à chaque item avec les réponses données à tous les autres items. On produit ensuite un indice qui fait la synthèse de toutes les corrélations. C'est habituellement à ce type d'indice que l'on fait allusion dans la documentation des tests standardisés. L'usage de plus en plus répandu de ces indices de consistance interne soulève cependant le problème de leur interprétabilité. En effet, la valeur de ces indices augmente lorsque tous les items qui constituent le score mesurent la même dimension, par exemple la même attitude, le même objectif spécifique ou le même élément de compétence. Lorsque l'épreuve est composée de questions qui portent sur des aspects différents, il arrive que les indices chutent sensiblement sans que la fidélité ne soit vraiment en cause.

Dans le cas des performances complexes dont l'évaluation est basée sur une observation, l'idée de consistance interne trouve son application quand on peut comparer les jugements de plusieurs évaluateurs relativement aux mêmes performances. Évidemment, dans les évaluations faites en classe, on peut rarement se permettre de procéder à une double ou même à une triple correction. Par contre, dans des situations d'évaluation à enjeux critiques, la moyenne de plusieurs juges qui partagent les mêmes références au moment de la correction s'avère une estimation de la compétence beaucoup plus fidèle que l'estimation provenant d'un jugement unique. On peut également avoir intérêt à utiliser une correction multiple pour vérifier la fidélité de la correction ; on établit alors la corrélation entre les divers jugements. Dans ce cas, le coefficient devient un indice de fidélité « intercorrecteur ».

Nous ne pouvons pas expliquer ici les calculs nécessaires pour trouver les coefficients de corrélation et les autres indices. Dans les pages précédentes, nous avons surtout voulu clarifier les concepts de validité et de fidélité, et montrer le lien qui les relie.

4.4 Les autres qualités des instruments

Le fait qu'une évaluation se fasse à l'aide d'instruments valides et fidèles n'est toutefois pas une garantie que la démarche d'évaluation respecte toutes les exigences. On reconnaît de plus en plus que les instruments ne peuvent être analysés sans qu'on tienne compte du contexte où se déroule cette évaluation. D'autres aspects doivent donc être considérés.

4.4.1 La faisabilité

Il est évident qu'un praticien doit avant tout être réaliste. C'est pourquoi, au-delà de la validité et de la fidélité, il recherchera dans les instruments des qualités d'ordre pratique dont l'importance est évidente. Quelques-unes méritent d'être examinées brièvement.

Un des aspects dont il faut se préoccuper est la durée des activités évaluatives. Pour déterminer la longueur d'un examen ou d'un projet évalué, on doit nécessairement tenir compte de l'âge des élèves, de l'effort cognitif ou physique requis et du temps disponible. Ainsi, en théorie, plus un examen comporte d'items, plus il a de chances d'être valide et fidèle. Mais, en revanche, il risque de mesurer la résistance à la fatigue autant que la compétence des élèves. C'est pourquoi il est préférable, avec de jeunes élèves, de faire passer des tests d'une longueur raisonnable, surtout quand les tâches exigent une certaine concentration et une attention soutenue. Même avec des adultes, des examens de plus de trois heures risquent de manquer de validité, parce qu'au-delà d'une certaine limite ils ne mesurent plus seulement ce qu'ils devraient mesurer ; s'ils sont trop courts, par contre, ils risquent de ne pas être aussi valides et fidèles, ne pouvant constituer un échantillon représentatif et suffisant des apprentissages à évaluer.

Par ailleurs, il est préférable que l'élève ait plusieurs occasions de démontrer qu'il a réalisé les apprentissages attendus avant qu'on porte un jugement. Il faudrait cependant éviter de tomber dans l'excès contraire et voir le temps de classe, et donc le temps de préparation de l'enseignant, occupé en majeure partie par des activités liées à l'évaluation. Certains rapports sur les pratiques dans les écoles québécoises donnent à penser que cela pourrait être le cas. On ne devrait cependant pas s'inquiéter de l'importance que peut prendre la microrégulation puisqu'elle est étroitement associée à l'enseignement et à l'apprentissage.

La question de la faisabilité concerne également l'utilisation des ressources. On peut aisément imaginer des activités qui permettent d'atteindre un niveau élevé de validité et de fidélité mais qui requièrent du matériel coûteux. Des moyens comme des examens oraux par entrevue peuvent être excellents pour évaluer les apprentissages, mais ils posent souvent des problèmes de gestion de classe qu'on ne peut régler que par la présence d'un assistant. La double correction peut être une solution avantageuse, mais pose évidemment, elle aussi, des problèmes d'organisation. Bref, l'évaluateur doit toujours composer avec les contraintes de la réalité scolaire.

4.4.2 Les conséquences

Une évaluation n'est jamais neutre. Elle a lieu dans une réalité qui, comme nous venons de le mentionner, impose des contraintes, et elle peut être elle-même transformée par l'évaluation (Frederiksen et Collins, 1989). C'est dans cette perspective que Perrenoud (1998, p. 17) dit qu'on peut maintenant parler d'une « sociologie de l'évaluation ». Depuis quelques années, les spécialistes de la mesure et de l'évaluation prêtent une attention particulière aux conséquences de l'application de certains moyens d'évaluation. Messick (1989, 1994) affirme que les conséquences de l'évaluation sont une facette de la validité. D'autres placent les conséquences au cœur de la validité de construit (Cronbach, 1988 ; Shepard, 1997) ou, au contraire, s'opposent (Popham, 1997 ; Maguire, Hattie et Brian, 1997) à l'intégration des conséquences de l'évaluation dans le concept de validité et suggèrent plutôt d'en faire une préoccupation d'ordre éthique. Tous s'entendent cependant sur l'importance de tenir compte des effets des pratiques évaluatives.

Il va sans dire que tout le monde souhaite que l'évaluation favorise les apprentissages des élèves (Conseil supérieur de l'éducation, 1982). Ainsi, une régulation efficace renforce les apprentissages ; l'utilisation de l'autoévaluation peut permettre à l'élève de développer des habiletés métacognitives (Laveault, Leblanc et Leroux, 1999). Par contre, on peut facilement trouver des exemples où l'évaluation a plutôt des effets négatifs. On peut, par exemple, penser à certains examens qui, loin de motiver les élèves, génèrent en eux une anxiété démesurée, ou à d'autres examens qui favorisent davantage des comportements de bachotage que des apprentissages significatifs et durables.

Un exemple particulièrement éloquent de l'effet de l'évaluation sur l'enseignement et l'apprentissage est l'instauration de l'épreuve uniforme de français à la fin du collégial, au Québec : en une dizaine d'années, les programmes de français ont été revus, des centres d'aide en français ont été mis sur pied, et les professeurs et les étudiants ont été sensibilisés à l'importance de bien écrire. Ces effets positifs compensent probablement largement les comportements de bachotage qui se manifestent par la mise en œuvre de stratégies visant simplement à réussir le test plutôt qu'à apprendre à mieux écrire.

Les effets pervers des pratiques évaluatives s'observent souvent à long terme. Ainsi, on ne peut nier le fait que la présence d'une évaluation se limitant aux aspects les plus facilement mesurables finit par amener les enseignants à évacuer des apprentissages importants qui ne figurent pas dans le test. De plus, on doit se demander si l'utilisation, tout le long du parcours scolaire, d'épreuves à interprétation normative, surtout quand leur validité est contestable, ne risque pas de créer un climat de compétition à outrance, de décourager beaucoup d'élèves et de faire perdre de vue le sens de l'apprentissage. On peut penser que des évaluations plus authentiques pourront améliorer la qualité de l'enseignement-apprentissage même si ces changements ne s'observeront pas du jour au lendemain (Shepard et autres, 1996).

4.4.3 L'équité

Parmi les conséquences qu'il faut prendre en considération, il y a celles qui concernent directement les individus. Ces conséquences sont très claires quand il s'agit d'une évaluation à enjeux critiques. Dans ce cas, comme c'est l'avenir scolaire ou professionnel des personnes qui peut être en cause, il importe que l'évaluation soit équitable.

Certes, le fait de s'assurer de la validité et de la fidélité des moyens d'évaluation contribue à l'équité. Le fait, par exemple, qu'un instrument ne porte que sur les éléments liés à une compétence implique habituellement que la démarche n'est pas biaisée, qu'elle ne favorise pas indûment un groupe plutôt qu'un autre. Dans une société comme la société québécoise actuelle, caractérisée par une grande diversité culturelle et sociale, cela est fondamental. Le fait que l'élève puisse démontrer sa compétence à plusieurs occasions dans des situations d'évaluation différentes est aussi une caractéristique importante d'une démarche d'évaluation équitable. Ainsi, la vérification des apprentissages avec un examen unique, particulièrement s'il survient à l'improviste et prend les élèves au dépourvu, est un exemple d'une pratique problématique sur le plan de l'équité.

Il faut aussi tenir compte de la fonction d'une évaluation. Dans une situation de régulation, il faut encourager l'utilisation d'une évaluation diversifiée qui tient compte des besoins de chacun; par contre, dans une situation de bilan ou d'évaluation certificative, il est important que les instruments et leurs conditions d'utilisation soient uniformes. Ce qu'il faut retenir, c'est que, dans le contexte d'un système scolaire qui vise la réussite du plus grand nombre d'élèves possible, l'équité va au-delà d'un simple traitement égal pour tous. Elle doit faire partie d'une stratégie générale qui permet à chacun de donner sa pleine mesure sans complaisance, tout en évitant de perpétuer les inégalités qui peuvent survenir lorsqu'on ne renforce que les apprentissages des plus doués et qu'on écarte les élèves qui ont plus de difficultés.

Tout enseignant qui se comporte en véritable professionnel de l'éducation devrait être soucieux de l'équité de ses pratiques et, plus particulièrement, des moyens qu'il met en œuvre pour évaluer ses élèves. Cela devient une question d'éthique professionnelle. C'est d'ailleurs dans cet esprit qu'un groupe de travail pancanadien a publié, il y a quelques années, un document intitulé *Principes d'équité relatifs à l'évaluation des apprentissages scolaires au Canada* (Comité consultatif mixte, 1993). Le document propose cinq principes généraux sur lesquels devrait reposer l'évaluation des apprentissages en classe. On trouve, relativement à chaque principe, des lignes directrices et des exemples d'application. Trois de ces principes concernent directement l'instrumentation.

- « Les méthodes d'évaluation devraient être adaptées aux buts de l'évaluation et à son contexte général. »

- « On devrait offrir à tous les élèves suffisamment d'occasions de manifester les connaissances, les habiletés, les attitudes et les comportements qui font l'objet de l'évaluation. »

- « Les procédés utilisés pour juger et noter la performance des élèves devraient être adaptés aux méthodes d'évaluation et appliqués de façon systématique. »

4.4.4 L'authenticité

Il n'est pas nécessaire que les instruments de mesure soient parfaits, qu'ils possèdent toutes les qualités dont on souhaiterait les doter, mais ils doivent être suffisamment bien faits pour qu'on puisse accorder quelque crédibilité aux données qu'ils produisent, et évaluer avec assez d'assurance les apprentissages qu'on veut évaluer. Une qualité à laquelle il convient de prêter attention est le degré d'authenticité de la tâche. Cette caractéristique s'avère particulièrement importante quand il s'agit d'évaluer le degré de développement d'une compétence plutôt que l'acquisition de ses composantes. Dans la mesure où il s'agit de déterminer si l'élève saura mettre en œuvre un certain nombre de ressources pour faire face à des situations réelles, il importe que les situations qui servent à l'évaluation s'apparentent à des situations réelles où pourrait se manifester la compétence. On peut définir une situation authentique par les deux caractéristiques suivantes.

1. **La complexité.** Une situation authentique requiert la mise en œuvre simultanée de plusieurs connaissances, habiletés ou attitudes, voire de plusieurs compétences. Par exemple, la présentation d'un exposé dans la langue seconde requiert des ressources liées au code linguistique (prononciation, vocabulaire, grammaire), des ressources liées à l'organisation du discours (cohérence, ordre de présentation) et des ressources liées à la communication (prise en compte du public, gestuelle, gestion des interactions). Toutes ces ressources doivent être mobilisées de façon concomitante afin de réaliser la tâche adéquatement. On peut aussi penser, comme tâche complexe, à la réalisation d'un projet tel que la construction d'une maquette, qui peut faire intervenir des compétences associées à différentes disciplines, particulièrement aux mathématiques et aux arts.

2. **La contextualisation.** L'authenticité d'une tâche tient également au fait qu'il faut aussi amener l'élève à voir la tâche autrement que comme un exercice scolaire sans lien avec la réalité. Dans les meilleurs des cas, on demande à l'élève de s'engager dans une activité qui s'insère dans son environnement réel. On peut penser à des échanges avec un correspondant réel, à l'organisation d'une activité extrascolaire, à la participation à un projet communautaire, etc. Dans d'autres cas, il s'agit de fournir des éléments de contexte suffisants pour que l'élève puisse tenir compte des caractéristiques de la situation dans la réalisation de la tâche. On peut alors penser à utiliser un article de journal récent comme amorce à une tâche d'écriture, à intégrer les solutions à des problèmes de géométrie dans la réalisation du plan d'un bâtiment ou à présenter la fabrication d'un objet artistique dans le cadre des exigences relatives à une exposition.

Cette idée d'authenticité, dominante depuis plusieurs années dans le domaine de l'évaluation en langue et en formation professionnelle, s'est généralisée avec les travaux de Wiggins (1993), qui propose le concept d'évaluation authentique. Selon Wiggins, toute évaluation devrait être authentique. L'utilisation de tâches contextualisées et complexes devrait se traduire par des situations signifiantes qui engagent et motivent l'élève, de même que par la possibilité, pour celui-ci, d'intervenir dans la démarche d'évaluation.

La construction d'un examen objectif

Après avoir discuté des façons dont peut être structuré le contenu qu'il faut évaluer et avoir décrit les fonctions des instruments et leurs caractéristiques, nous traiterons, dans la seconde partie de cet ouvrage, des aspects plus pratiques liés à la conception, à l'élaboration et à l'utilisation des instruments. Ce cinquième chapitre tente de regrouper les éléments qu'il faut maîtriser pour construire un examen objectif. Dans un premier temps, nous verrons comment déterminer le contenu de l'examen, puis nous verrons comment le construire. Nous terminerons en discutant des applications de ces techniques relativement à l'élaboration d'épreuves utilisées à grande échelle.

Il importe d'abord de préciser ce que nous entendons par « examen objectif ». On définit ici le mot « examen » au sens le plus large, comme un questionnaire qui est soumis à des élèves, dans des conditions contrôlées, en vue d'évaluer des apprentissages. À cet égard, on peut utiliser le mot « test », qui a un sens presque identique. On peut dire de cet examen qu'il est objectif s'il se compose de questions qui appellent des réponses dont on peut établir l'exactitude en fonction d'une réponse attendue. Le caractère objectif tient donc essentiellement à la correction de la réponse, cette correction n'étant pas soumise à l'appréciation d'un évaluateur. De ce fait, l'examen objectif se prête bien à une administration informatisée.

5.1 L'utilisation de l'examen objectif

On pourrait dire que l'heure de gloire des examens objectifs a été la seconde moitié du XXe siècle. En effet, dans les années 1950, beaucoup de recherches ont été menées dans le domaine de la psychométrie. C'est à cette époque que s'est développée la « théorie classique des tests ». On a vu se développer différentes techniques de construction de tests, particulièrement en ce qui concerne les questions à choix multiple. Il en résulte qu'on possède maintenant une vaste base de connaissances pour élaborer ce type de test. Des techniques éprouvées existent pour déterminer le contenu des examens objectifs, pour en améliorer l'efficacité et pour en établir les caractéristiques métrologiques (Roid et Haladyna, 1982). Pourtant, durant les années 1990, on a commencé à douter de la pertinence des examens objectifs. C'est ainsi qu'est apparu un mouvement en faveur d'une évaluation alternative (Linn, Baker et Dunbar, 1991 ; Shepard, 1995 ; Herman, Aschbacher et Winters, 1997) dans le cadre duquel on remettait en question, entre autres, l'hégémonie des items à choix multiple.

Quoi qu'il en soit, ce type d'examen continue d'exister même si l'on convient de ses limites. L'examen objectif reste un outil précieux dans les deux situations suivantes :

- On veut évaluer un ensemble de connaissances déclaratives. Malgré l'accent qui est mis sur le caractère intégratif des compétences, il n'en reste pas moins nécessaire, à certains moments, de vérifier l'acquisition des connaissances déclaratives qui sont préalables au développement d'une compétence.

- On veut évaluer des compétences dont la manifestation n'est pas facilement observable ; certaines compétences, comme la lecture, par exemple, ne se traduisent pas toujours par une performance facilement observable.

Des contraintes pratiques doivent être prises en considération au moment de la passation et de la correction : si les examens objectifs sont longs et parfois coûteux à élaborer, ils sont, en revanche, très commodes et très économiques à faire passer et à corriger.

La construction des examens objectifs découle de l'application de la théorie classique des tests. Cette théorie suppose que l'information recueillie et analysée en vue de porter un jugement sera une mesure, ce qui lui confère un caractère essentiellement quantitatif. L'idée directrice est que la compilation des réponses permet l'établissement d'un score interprétable.

Avant même qu'on se lance dans la construction d'un examen objectif, il est important d'avoir précisé la fonction visée par la démarche d'évaluation. Ainsi, si l'objectif est d'obtenir un score général qui traduise le niveau de développement d'une compétence difficile à observer, il faudra s'assurer que toutes les questions de l'examen convergent vers cette compétence. C'est souvent la situation qui se présente en certification. Par contre, si l'objectif est de porter un diagnostic sur l'acquisition de connaissances déclaratives dans certaines aires de contenu, il sera important de regrouper les questions en fonction de ces aires de contenu ; les sous-scores calculés dans différentes parties de l'examen peuvent alors être plus utiles que le score général. Dans ce cas, le test servira plutôt à la microrégulation.

5.2 La sélection du contenu

5.2.1 L'échantillon représentatif

On a vu que la première qualité d'un instrument est sa validité. Une fois qu'on a déterminé que la nature des tâches qui caractérisent l'examen objectif convient effectivement à ce qu'on veut mesurer, il faut s'assurer que le contenu reflète bien la matière. Par exemple, s'il s'agit d'un examen qui prétend vérifier des connaissances acquises durant une étape scolaire au secondaire, il faudra s'assurer que les connaissances qui sont abordées en classe se trouvent effectivement dans l'examen, et que le type d'appropriation (acquisition, compréhension, etc., selon la taxonomie de Bloom) correspond à ce qui a été travaillé en classe. En d'autres termes, l'examen doit constituer un échantillon représentatif de ce qui a été couvert.

On peut tenter de constituer cet échantillon intuitivement, en fonction de la connaissance que l'on possède du programme, du souvenir que l'on conserve de l'enseignement et des points sur lesquels on a insisté, mais cela n'est pas facile. On risque, en effet, de privilégier certains aspects de l'apprentissage et d'en ignorer d'autres, de poser trop de questions faisant appel à la mémoire, de ne pas en poser assez qui porteraient sur des points très faciles ou très difficiles, etc. Quand un élève reproche à un enseignant de poser des questions hors-programme ou de se concentrer sur certains contenus, il dénonce, sans le savoir, une erreur d'échantillonnage, d'où l'importance d'adopter, comme nous le verrons dans les prochaines pages, une démarche rigoureuse de conception des items d'examen.

5.2.2 Le tableau de spécifications

Afin de s'assurer de la validité de contenu des examens, il peut être utile, quand la nature des apprentissages à évaluer s'y prête, de représenter visuellement la matière à l'aide d'un tableau de spécifications. Dans un contexte de planification de l'apprentissage et, surtout, de sa mesure et de son évaluation, le tableau de spécifications prend donc la forme d'une « présentation ordonnée de l'ensemble des notions visées par un instrument de mesure ou un programme, qui inclut des indications sur le niveau taxonomique de l'apprentissage relié à chaque notion et sur l'importance relative d'une notion ou d'un sous-ensemble de notions par rapport à l'ensemble total » (définition du MEQ citée dans Legendre, 1993, p. 1274). Il s'agit donc d'un tableau dans lequel on tente de représenter, en résumé, l'ensemble des apprentissages prévus. L'idée du tableau de spécifications est issue des approches par objectifs, et c'est à cette vision des programmes qu'il faut se référer pour comprendre le processus de construction d'un tel tableau.

Pour bien comprendre les éléments qui entrent dans la composition d'un tableau de spécifications, on doit revenir aux deux éléments constitutifs de tout objectif pédagogique, qu'il soit général ou spécifique, soit le contenu notionnel et le type d'apprentissage (souvent désigné par la catégorie taxonomique) dont ce contenu fait l'objet. Le contenu notionnel d'un objectif cognitif peut être la matière à apprendre ou bien l'objet de l'habileté à développer. Ainsi, quand un enseignant souligne qu'un des objectifs de la semaine consiste à faire comprendre la règle du participe passé conjugué avec l'auxiliaire avoir, il indique que la notion à apprendre, c'est-à-dire le contenu de l'objectif, est la règle relative à ce participe passé, et que le type d'apprentissage visé est la compréhension de cette règle (deuxième catégorie de la taxonomie de Bloom [1969] et de ses collaborateurs [Harrow, 1977; Krathwohl et autres, 1976]). Quand il dit que son objectif est de faire apprendre à ordonner des fractions ayant un même dénominateur, il veut dire que le type d'apprentissage visé est l'habileté à placer quelque chose dans un ordre approprié. Ce quelque chose, c'est-à-dire la notion ou le contenu, ce sont les fractions ayant un même dénominateur. Parce que ces objectifs comprennent chacun deux éléments bien distincts — le contenu et le type d'apprentissage —, le tableau de spécifications est un tableau à double entrée où figurent, d'une part, les grandes tranches de la matière à apprendre et, d'autre part, les principaux types d'apprentissage à réaliser.

Pour illustrer ce propos, on peut voir comment, en fonction des objectifs généraux, il est possible de constituer le tableau de spécifications d'un cours sur les éléments de métrologie et de contrôle qui fait partie d'un programme sur l'équipement motorisé. Ces objectifs généraux sont de deux niveaux: premièrement, il y a ceux qui concernent l'ensemble du cours; deuxièmement, il y a ceux qui sont propres à chaque chapitre du cours. Même si l'on n'est pas familiarisé avec cette discipline, les objectifs du cours permettent de se situer par rapport à la matière. Ils consistent à préparer l'élève à des tâches précises de métrologie et de contrôle des équipements motorisés, c'est-à-dire à:

- le familiariser avec le langage de cette science;

- lui faire assimiler les notions fondamentales nécessaires pour effectuer différentes mesures;

- lui faire acquérir la compétence nécessaire pour utiliser différents instruments de mesure.

En examinant ensuite les objectifs de chacun des chapitres du cours, on découvre que ce cours se subdivise en six chapitres:

- Chapitre 1 : Principes de la mesure dimensionnelle ;
- Chapitre 2 : Notions d'ajustement ;
- Chapitre 3 : Types d'instruments de mesure ;
- Chapitre 4 : Conversion des unités de mesure ;
- Chapitre 5 : Lecture des instruments de mesure ;
- Chapitre 6 : Mensuration des pièces mécaniques.

Les objectifs du premier chapitre sont d'amener l'élève à connaître et à comprendre les notions de base et les principes de la mesure dimensionnelle ; ceux du sixième chapitre sont de développer son habileté à utiliser les instruments de mesure pour relever avec précision les dimensions d'une pièce mécanique. L'examen de ces premières données et de celles des objectifs des chapitres 2 à 5, que nous avons ignorés pour abréger le texte, donne les axes du tableau 5.1 (page suivante) : verticalement, un contenu partagé en six chapitres et horizontalement, trois types d'apprentissages faciles à repérer, soit des connaissances à acquérir (connaissance), des contenus à comprendre (compréhension) et des habiletés pratiques à développer (application).

Pour remplir les cases vides du tableau 5.1, on doit maintenant examiner chaque objectif spécifique, en isoler les deux parties (contenu et type d'apprentissage) et inscrire dans la case appropriée un signe quelconque qui représente les deux éléments essentiels de cet objectif. Ainsi, dans le chapitre 1, on lit l'objectif suivant : « L'élève devrait être capable de définir ce qu'on entend par le terme "tolérance" ». Cet objectif, qui décrit un objectif de connaissance d'une notion précise rencontrée dans le chapitre, sera enregistré dans la case formée par l'intersection de la première rangée et de la première colonne, case portant le numéro 1 (il s'agit du chiffre dans le coin supérieur gauche de la cellule). Dans le même chapitre, « Être capable d'expliquer la différence qu'on fait entre une mesure à l'état superficiel et une mesure de dimension » démontre que l'on comprend la différence entre ces deux notions. Cet objectif sera inscrit dans la case numéro 2. Enfin, dans le chapitre 6, « Réussir à transcrire les mesures relevées avec la décimale appropriée » démontre qu'on a développé une habileté spécifique, qu'on peut appliquer ses connaissances à une situation concrète. Cet objectif sera inscrit dans la case numéro 18. L'analyse et la compilation se poursuivent de cette manière, d'un chapitre à l'autre, jusqu'à ce que tous les objectifs décrits figurent dans la grille. Au terme de l'opération, on peut inscrire les premiers chiffres qui se trouvent dans la parenthèse de chaque cellule du tableau. Ces chiffres correspondent au nombre d'objectifs décrits dans le programme.

Les enseignants peuvent juger que des ajouts devraient être apportés au programme. Ils peuvent constater, par exemple, que certains apprentissages sont sous-représentés dans la grille, et ajouter quelques objectifs dans certains chapitres.

Tableau 5.1   Tableau de spécifications d'un cours de métrologie

Type d'apprentissage Contenu du cours	Connaissance	Compréhension	Application	Total
Chapitre 1 : Principes de la mesure dimensionnelle	1 (5 + 1) = 6	2 (5 + 1) = 6	3 (2 + 1) = 3	15
Chapitre 2 : Notions d'ajustement	4 5	5 (4 + 4) = 8	6 2	15
Chapitre 3 : Types d'instruments de mesure	7 (8 - 1) = 7	8 0	9 13	20
Chapitre 4 : Conversion des unités de mesure	10 4	11 (2 + 4) = 6	12 0	10
Chapitre 5 : Lecture des instruments de mesure	13 2	14 (4 + 1) = 5	15 3	10
Chapitre 6 : Mensuration des pièces mécaniques	16 (2 - 1) = 1	17 5	18 (9 + 15) = 24	30
Total	25	30	45	100

Ils peuvent considérer que certains objectifs, plus importants que d'autres, méritent une plus grande attention. Ce sont ces ajouts que traduit le deuxième terme des parenthèses. Le résultat de ces ajustements est une modification majeure par rapport au programme original à la case 18, où l'on compte maintenant 24 objectifs au lieu de 9. Cela s'explique facilement dans un cours de cette nature. En effet, la connaissance et la compréhension des principes de la mesure et des notions d'ajustement, la connaissance et l'utilisation des instruments de mesure, l'apprentissage de la lecture des instruments de mesure et de la conversion des unités de mesure n'ont qu'une raison d'être : apprendre à l'élève à mesurer correctement les pièces mécaniques qu'il doit décrire avec une grande précision. Parce que cet apprentissage global suppose tous les autres qui le précèdent, il constitue un bon exemple d'objectif terminal. S'il n'est pas indispensable de souligner son caractère terminal dans la formulation des objectifs, ce caractère doit être pris en considération dans l'organisation de l'apprentissage, et son importance doit se refléter dans le tableau de spécifications. La conséquence de l'ajustement est qu'on trouve 45 objectifs dans la colonne « Application ». Aux fins de cet exemple, le total du cours est de 100 objectifs, ce qui signifie que l'aspect « application » représenterait 45 % du cours.

On peut imaginer de nombreuses variantes du tableau de spécifications. Celui-ci peut devenir très complexe lorsqu'on veut rendre compte des nombreux éléments de contenu et des différents niveaux d'appropriation de ces éléments. Ainsi, à la suite de la publication des programmes par objectifs au début des années 1980, le MEQ avait entrepris une opération qui visait à produire des définitions de domaines dans différentes matières afin de fournir une vue synthétique du contenu à couvrir. L'exercice a permis de réfléchir sur la structure des programmes et de sortir du joug de la taxonomie de Bloom pour préciser les opérations intellectuelles requises par rapport aux contenus. Dans une définition de domaine, on tente toujours de représenter, sur un axe, les éléments de contenu et, sur l'autre, les niveaux d'appropriation, soit les opérations intellectuelles que doit réaliser l'élève relativement à ces contenus.

Ce sont les constructeurs de tests qui ont inventé le tableau de spécifications, et c'est au moment de construire des examens équilibrés et valides qu'il est certes le plus utile. Il permet, en effet, de bien circonscrire l'objet de mesure, c'est-à-dire de délimiter le contenu des apprentissages et de préciser les types d'apprentissages qu'on veut vérifier par un examen. Grâce aux indices inscrits dans chacune de ses cases, le tableau de spécifications aide l'enseignant à prélever, parmi tous les items et toutes les questions possibles, ceux qui constitueront un échantillon représentatif et permettront l'élaboration d'un bon examen.

Le travail d'équipe permet d'accumuler, pour chaque partie d'un cours, un grand nombre de questions d'examens qui se rapportent à chaque objectif du cours. Ces questions, organisées et classées d'après le cadre suggéré par le tableau de spécifications, forment ce que nous appelons « une banque d'items ». Cette dernière est d'autant plus utile et facile à consulter qu'elle correspond exactement au programme et qu'elle est organisée conformément au plan d'enseignement.

5.3 La préparation de l'examen

Si l'enseignement a été efficace, si l'apprentissage souhaité s'est fait, le changement interne prévu a dû se produire. Il est donc normal d'observer, le moment du contrôle venu, que des comportements nouveaux se manifestent. L'élève répond à des questions, résout des problèmes et accomplit des tâches, toutes des activités qu'il ne pouvait accomplir avant l'apprentissage. Ce sont précisément ces nouveaux comportements que la démarche de mesure se propose d'observer et de dénombrer (chapitre 1). Au cœur de la mesure il y a, chez l'enseignant, la nécessité de concevoir ou de sélectionner une série d'items (questions, problèmes ou tâches) susceptibles d'exiger des élèves la démonstration de l'atteinte des objectifs prévus. Pour l'élève, il y a l'obli-gation de réussir les items (répondre aux questions, résoudre les problèmes, accomplir les tâches) s'il veut prouver à tous, y compris à lui-même, qu'il a réalisé les apprentissages escomptés.

Pour chaque objectif pédagogique ou pour chaque case du tableau de spécifications, plusieurs tâches semblables peuvent être exigées de l'élève. Il est toutefois impossible d'exiger qu'il les accomplisse toutes ; il faudra donc, comme nous l'avons mentionné précédemment, échantillonner les tâches et ne retenir que celles qui représentent le mieux l'apprentissage à évaluer. Trois règles, qu'on peut décrire comme des critères de congruence entre les items et ce qu'on veut mesurer, permettent de vérifier la correspondance entre chaque tâche de mesure (chaque item) et l'objectif, la compétence ou l'élément de compétence que cette tâche devrait permettre de mesurer.

- L'action exigée par le verbe-consigne utilisé dans l'item doit être du même type que l'action découlant du verbe de l'objectif pédagogique.

- Les conditions de réalisation de la tâche exigée dans l'item doivent correspondre aux conditions prévues explicitement (ou implicitement) dans l'objectif pédagogique.

- Le contenu maîtrisé pour réussir l'item ne doit jamais déborder ni outrepasser le contenu prévu dans l'objectif pédagogique. Il doit cependant en être un échantillon représentatif.

En appliquant ces trois règles, on peut contrôler chaque case du tableau de spécifications en tenant compte de ses deux composantes fondamentales : le type d'apprentissage et le contenu. Voyons maintenant quel genre d'items il faudra rédiger pour se conformer à ces règles.

5.3.1 La rédaction des items

Il est important de choisir la tâche qui convient le mieux à l'apprentissage que l'on veut évaluer et qui respecte les contraintes pratiques afférentes à toute situation d'évaluation. La rédaction des items obéit à des règles qui varient selon le type de réponse attendue (Ministère de l'Éducation du Québec, 1990). Quand on recourt à un examen objectif, quatre principaux types de réponse peuvent être envisagés. Nous allons tour à tour les examiner dans cette section.

A. L'item à choix alternatif

Ce type d'item n'exige pas de l'élève qu'il crée sa propre réponse. Étant donné qu'il y a un énoncé et deux positions opposées s'y rapportant, l'élève est invité à effectuer un choix entre les deux. Le modèle classique d'item à alternative simple est l'item « vrai — ou faux » où l'élève, devant un énoncé quelconque, doit en indiquer la valeur de vérité. On pourrait tout aussi bien mettre à l'épreuve la finesse de son discernement en lui demandant d'indiquer s'il juge une formule, une définition, une affirmation exacte ou inexacte, correcte ou incorrecte, complète ou incomplète, satisfaisante ou insatisfaisante, valide ou non valide, etc. On pourrait également lui poser une question directe à laquelle il devrait répondre catégoriquement par oui ou non, ou encore imaginer d'autres situations problématiques où l'élève ne se trouverait que devant deux possibilités.

Les apprentissages qui se prêtent à ce genre d'exercice sont ceux qui peuvent convenir à la capacité de choisir entre les deux réponses possibles à une question posée. Par exemple, l'élève devrait être amené à dire :

- si une couleur est primaire ou secondaire ;
- si un nombre est plus grand ou plus petit qu'un autre ;
- si un événement est antérieur ou postérieur à un autre ;
- si un principe s'applique ou non dans une situation donnée ;
- si un terme, dans une phrase donnée, est employé correctement ou pas.

À une époque, on utilisait beaucoup ce type d'item ; aujourd'hui, il est moins en vogue, car on a constaté qu'il imposait des contraintes sérieuses. En effet, il ne faut pas trahir les réponses négatives en utilisant des termes absolus comme « toujours », « jamais », « tous », « aucun », etc. Il faut également éviter les termes trop nuancés comme «généralement», «souvent», «habituellement», etc., qui révèlent des items positifs. Il faut s'assurer que les énoncés proposés, sans devenir évidents, demeurent quand même absolument vrais ou faux, que les réponses attendues soient des oui ou des non catégoriques. Tous les «oui... mais», les «ça dépend» indiquent des énoncés boiteux. De plus, comme les énoncés vrais, parce que complets, risquent d'être plus longs que les énoncés incomplets ou tronqués, il faut s'ingénier à rédiger des items d'à peu près la même longueur. Bref, contrairement à l'opinion populaire, ces items qui ont l'air bien simples sur le plan de la rédaction sont, en fait, difficiles à préparer.

Quand la matière s'y prête, et quand l'enseignant écrit dans un style clair, ce type d'item peut être utilisé pour vérifier en peu de temps un grand nombre de connaissances déclaratives. Il peut servir principalement à diagnostiquer des erreurs et des préjugés, et à sonder les opinions des personnes. Soit dit en passant, même mal énoncé, ce genre d'item peut amorcer des discussions animées sur n'importe quel sujet controversé.

B. Les items à choix multiple

L'item à choix multiple (ou la question à choix multiple) n'a pas besoin de présentation. À cause de l'utilisation massive dont il a été l'objet, il est universellement connu. Il n'est pas certain, cependant, qu'on l'ait toujours bien compris et employé à bon escient. C'est pourquoi, sans lui accorder de traitement de faveur, il nous faut quand même l'examiner de près et distinguer les services qu'il peut rendre ainsi que ses limites. La préparation de ce type d'item suppose l'application rigoureuse de certaines techniques. L'item à choix multiple présente d'abord un problème ou une question à l'élève. Il lui fournit ensuite trois, quatre ou cinq réponses, parmi lesquelles l'élève doit désigner la ou les bonnes réponses, selon les indications reçues. La bonne réponse peut être la seule qui soit vraiment acceptable, la meilleure parmi toutes celles qui sont suggérées et, à la rigueur, la seule qui ne convienne pas du tout.

Par exemple, on peut donner comme consigne de marquer d'une croix la bonne réponse et poser la question suivante :

Parmi les trois villes suivantes, quelle est la capitale de l'Allemagne ?

❏ Berlin

❏ Munich

❏ Bonn

Ce type d'item convient surtout pour mesurer la connaissance superficielle de certains faits ou la compréhension de notions complexes. Dans les situations où l'on se réfère à des objectifs pédagogiques, la formulation des objectifs dont on peut vérifier l'atteinte par ce genre d'item commence habituellement par un verbe qui implique un choix à faire.

Dans ce cas, par exemple, l'élève doit être amené à :

- choisir parmi les différents papiers d'émeri suggérés celui qui convient le mieux pour le fini émail ;

- choisir parmi un groupe de mots proposés celui qui complète le mieux une phrase donnée ;

- choisir parmi cinq définitions celle qui caractérise la masse d'un corps ;

- reconnaître parmi cinq instruments énumérés celui qui sert à mesurer la masse ;

- reconnaître parmi cinq noms suggérés celui de l'inventeur de la dynamite.

L'item à choix multiple, en revanche, ne permet pas de contrôler la mémorisation des connaissances que l'élève, d'après les objectifs formulés, doit être capable de repérer dans sa mémoire. Si, par exemple, on demande à un élève : « Quelle est la capitale de l'Ouganda ? », il doit donner la bonne réponse et prouver ainsi qu'il a mémorisé le nom de la capitale de ce pays. Si on ajoute : « Est-ce Tunis, Alger ou Kampala ? », on lui facilite la tâche.

L'item à choix multiple peut souvent comprendre un élément visuel qui précise la situation-problème. Ainsi, on peut présenter un triangle isocèle (voir la figure 5.1, page suivante) à l'élève et lui demander d'estimer sa surface (sans règle ni calculatrice) en posant la question suivante :

Quelle est la surface approximative du triangle isocèle de la figure ?

a) 12 cm^2

b) 13,5 cm^2

c) 15,5 cm^2

d) 16 cm^2

Comme on peut varier la mise en situation à l'aide d'un texte, d'une carte, d'un dialogue, d'un graphique, d'un tableau de données, d'une photo, d'un schéma, d'une expérience, etc., ainsi que le genre de la question posée, l'item à choix multiple peut prendre toutes sortes de formes et servir à vérifier plusieurs types d'apprentissages.

On ne doit donc pas sous-estimer l'utilité des items à choix multiple. Bien conçus, ils peuvent parfois permettre de vérifier des habiletés complexes. Par exemple :

- trouver la solution la plus appropriée à un problème de mathématiques complexe présenté dans une situation qui sert à le contextualiser ;

- identifier l'énoncé représentant l'inférence la plus juste qui peut se faire à partir d'un texte ;

- déterminer la réaction la plus convenable relativement à un problème de relations humaines décrit dans la situation.

En général, la situation dans laquelle on place l'élève doit être décrite avec clarté, et la question ou l'énoncé doit être formulé de façon à ce que le choix à effectuer entre les possibilités offertes arrive naturellement à la fin de la question ou de l'énoncé.

On peut soumettre à l'élève trois, quatre ou cinq choix de réponse qui comprennent la bonne réponse accompagnée de « leurres ». D'une part, plus les leurres sont

Figure 5.1   Item en géométrie

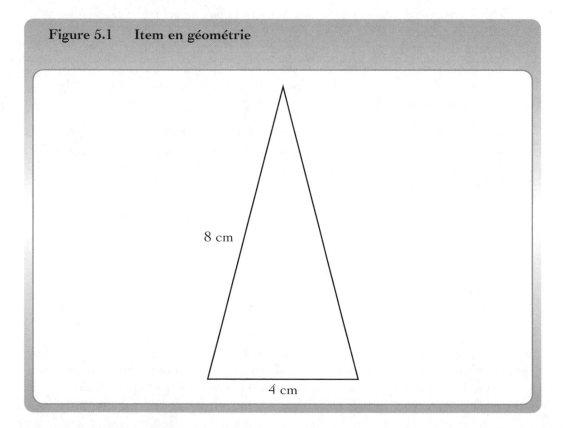

nombreux, plus sont réduites les chances de tomber sur la réponse correcte par hasard ou en devinant. D'autre part, plus ils sont nombreux, plus l'épreuve est difficile à construire et plus elle fera appel à des habiletés de lecture chez l'élève. En se basant sur les erreurs habituelles des élèves, on peut constituer une banque d'énoncés incorrects ou d'affirmations fausses qui serviront à la rédaction de leurres qui permettront même un certain diagnostic. Mais, au-delà de la bonne réponse et de une ou deux réponses moins bonnes qui peuvent encore paraître plausibles, la tâche de la rédaction des choix devient problématique. Même si les spécialistes optent en général pour quatre ou cinq choix de réponses, un enseignant peut facilement se contenter de trois, à moins qu'une longue habitude ou un talent spécial l'encourage à faire mieux.

Plus que dans les autres types d'items, il importe ici de donner à l'élève des consignes claires et de lui indiquer si, parmi les choix énumérés, se trouvent une seule ou plusieurs bonnes réponses dont une, meilleure que les autres, doit être repérée. Si jamais, parmi les choix de réponses, on ne peut trouver aucune bonne réponse, il faut en avertir l'élève. C'est qu'à ce moment-là, on lui impose une gymnastique mentale discutable : « Découvre d'abord s'il y a une bonne réponse. Si oui, indique-la. Sinon, indique "aucune de ces réponses". » Il s'agit d'une technique habituellement peu recommandable.

C. Les items à choix circonstanciel

Dans certains items, on peut demander à l'élève d'associer ou d'apparier des énoncés, de classifier des éléments, ou d'ordonner des faits, des objets ou des énoncés. C'est ce que nous appelons ici l'item à choix circonstanciel, parce que l'élève n'a pas à créer une réponse personnelle mais simplement à choisir un lien parmi ceux qui sont possibles, et parce que ce choix dépend des particularités de la situation, des circonstances entourant la tâche. On peut jeter un rapide coup d'œil sur quelques-unes des particularités de cet élément.

Appelé aussi item à appariement, l'item de type **associatif** est très populaire auprès des jeunes élèves des écoles primaires. Il consiste à présenter deux séries d'éléments qui doivent être associés : des pays et leur capitale, des faits historiques et les dates qui les situent dans le temps, des images d'objets et le nom de ceux-ci, des inventeurs et le nom de leurs inventions, etc. En matière d'objectifs pédagogiques, ce qu'on mesure à l'aide de cette sorte d'item, ce sont les objectifs qui indiquent la capacité de l'élève de relier deux éléments qui vont ensemble.

Il peut s'agir, par exemple :

- d'associer un dessin correspondant à chacune des cinq phrases données ;

- d'associer les pièces musicales énumérées aux noms des compositeurs énumérés ;

- d'associer les noms des hommes d'État donnés aux noms des pays énumérés ;

- d'associer les grands types de roches aux ensembles structuraux présentés ;

- d'associer les termes énumérés et les définitions qui y correspondent.

Cet item représente, en quelque sorte, un cas extrême de choix multiple. En effet, quand un élève doit associer le premier élément d'une série à un autre de la deuxième série, il a le choix entre tous les éléments de cette deuxième série. Mais, à mesure qu'il associe deux éléments, l'éventail des choix offerts rétrécit et, à la fin, les deux derniers éléments sont nécessairement reliés. C'est pourquoi, pour rendre un peu plus difficile et plus significatif un exercice relativement facile et éviter que, par voie d'élimination successive des choix faciles à faire, l'élève découvre les associations moins évidentes, on recommande de fournir deux listes inégales d'éléments à associer.

L'élève qui réussit ce genre d'épreuve ne prouve pas qu'il connaît vraiment les réponses ni qu'il comprend parfaitement ; l'élève démontre simplement qu'il connaît suffisamment le sujet abordé, se souvient assez bien de la matière vue pour associer deux faits, deux notions, deux objets qui ont entre eux un certain rapport.

Dans un item de type **réarrangement,** on présente, dans un ordre aléatoire, une série d'éléments qu'on demande d'ordonner logiquement, de réarranger dans un ordre conforme à un schème spécifique. On demande, par exemple, de placer en ordre les étapes d'une opération, de situer des événements par ordre chronologique, de faire une phrase avec les mots fournis, etc.

Ce type d'item ne manque pas d'intérêt. Il est possible, par exemple, de mesurer les aspects discursifs de la compétence en lecture en soumettant aux élèves une série de paragraphes en désordre et en leur demandant de les remettre en ordre. Il faut noter que l'on peut généralement transformer l'item de type réarrangement en item à choix multiple en proposant différentes séquences comme choix de réponses.

D. L'item à réponse construite unique

Cet item exige du sujet qu'il fournisse lui-même la réponse attendue. Théoriquement, chaque question de ce type d'item exige une seule bonne réponse, celle qui serait donnée systématiquement par n'importe quel groupe d'experts. C'est à cette condition seulement que sa correction sera objective, car elle ne laissera place à aucune interprétation. Si on demande à un élève combien font quatre fois huit, il ne peut donner qu'une réponse : 32. Tout le monde lui donnera raison, et on peut dire que la correction de l'item est objective.

En matière d'objectifs pédagogiques, ceux qui se prêtent le mieux au contrôle que permet ce type d'item sont les objectifs qui stipulent que l'élève devrait être capable de fournir, sur demande, une date exacte, un nom, une formule, un titre, un nombre, bref un renseignement factuel, précis, qui ne suscite aucune controverse.

Ainsi, l'élève devrait être amené à :

- trouver le terme manquant dans une addition ou dans une soustraction ;
- représenter numériquement une mesure fractionnelle ;
- nommer le procédé industriel utilisé dans la fabrication de l'oxygène ;
- reproduire de mémoire la formule du levier ;
- nommer la capitale des pays européens.

Avec cet item, l'élève doit répondre par quelques mots, et il faut s'assurer qu'une seule bonne réponse puisse être acceptée. Cela n'est pas facile. Ainsi, l'enseignant qui demanderait : « Où trouve-t-on les bleuets au Québec ? » et qui s'attendrait à ce que les élèves répondent : « Au Lac-Saint-Jean » oublierait qu'on en trouve à bien d'autres endroits au Québec.

Si l'item prend la forme d'un texte à l'intérieur duquel on a supprimé des mots clés que l'élève doit retrouver, il faut prendre garde de trop mutiler le texte afin que ce qui reste de l'énoncé original ne perde pas tout son sens. Il est plus sage de conserver intact le début de la phrase et de supprimer, vers la fin, un ou deux mots clés. Il faut également éviter de tirer du manuel de l'élève une phrase qui, sortie de son contexte, perd une partie de sa signification. Enfin, il est recommandé de réserver pour chaque réponse un espace vide de même longueur, quelle que soit la longueur du mot à inscrire.

L'item à réponse courte, surtout celui qui comporte une question directe, semble naturel ; il correspond à la pratique fort ancienne des enseignants de poser des questions aux élèves pour déterminer ce qu'ils savent. Par contre, il présente l'inconvénient de ne pas être toujours aussi objectif qu'il le paraît, et ne peut être utilisé que pour mesurer des connaissances factuelles bien précises.

5.3.2 Le montage des items

Une fois les items rédigés, il faut les agencer pour constituer l'examen. Voici trois conseils susceptibles de guider ce montage.

1. Il est préférable de regrouper les items qui portent sur la même habileté, sur le même objectif ou sur la même case du tableau de spécifications, surtout si les résultats sont utilisés pour organiser l'enseignement ou l'apprentissage.

2. Si on a plusieurs sortes d'items, on devrait les regrouper par type.

3. Il vaut mieux placer les items par ordre de difficulté croissante tout le long de l'épreuve. Les premières questions devraient être plus faciles pour permettre à l'élève de bien commencer son épreuve, d'être plus motivé à exploiter pleinement ses capacités.

La rédaction des consignes va de pair avec la rédaction des items. Curieusement, cependant, cette partie du travail de la construction de l'examen est souvent négligée : ou les directives sont absentes, ou alors elles sont mal écrites. Au lieu de se donner la peine de rédiger soigneusement des consignes claires et précises, il est tellement plus facile et plus commode de tenir pour acquis que les élèves comprendront ce qu'on attend d'eux. Ceci n'entraîne habituellement pas de conséquences désastreuses, car, effectivement, les élèves savent que, dans un examen, ils doivent répondre aux questions posées, cocher les cases vides, remplir les espaces blancs et tracer les flèches comme ils ont l'habitude de le faire. Toutefois, cette négligence diminue la qualité de l'examen et est injustifiable.

Nous avons déjà noté l'importance des consignes dans les épreuves à choix de réponses. Celles qui accompagnent les autres types d'items doivent également être rédigées clairement. Pour y parvenir, on doit d'abord bien connaître le matériel qu'on présente à l'élève et le désigner correctement : une question entraîne une réponse ; une phrase est complétée par un mot, un verbe, un adjectif ou une expression. Il faut ensuite décrire exactement la tâche que l'on exige de l'élève : répondre aux questions, marquer la bonne réponse, cocher le bon complément de la phrase, tracer le cercle ou la flèche au bon endroit, etc. De plus, pour donner à ces directives un sens encore plus clair, il peut être utile, dans certains cas, de les illustrer à l'aide d'un exemple facile à comprendre. Enfin, pour éviter de multiplier les consignes tout le long de l'épreuve, il est recommandé de regrouper les items de même nature et de ne donner qu'une consigne pour chaque groupe d'items.

Une fois les items rédigés, il faut faire imprimer l'examen. L'arrangement des directives et des items, la mise en pages et la disposition typographique sont autant de facteurs secondaires qui peuvent affecter la qualité de l'épreuve.

Il faut aussi penser à préparer une clé de correction. Celle-ci peut prendre toutes sortes de formes, suivant que les élèves répondent sur des feuilles de réponses séparées, préparées d'avance, ou qu'ils inscrivent leurs réponses directement sur les questionnaires. Quoi qu'il en soit, la clé de correction doit être conçue de façon à faciliter la correction manuelle ou mécanique des copies de l'examen.

À l'ère de la haute technologie, il convient également de considérer une passation informatisée du test. La plupart des plateformes conçues pour l'enseignement à distance, par exemple le WebCT (http://www.webct.com), offrent des possibilités d'intégrer des examens objectifs. Certains logiciels, comme TestMaker (http://www.testmaker.com), servent à concevoir des examens objectifs en ligne et permettent aussi d'effectuer une correction automatisée. Le logiciel Hot Potatoes (http://web.uvic.ca/hrd/halfbaked/), conçu à l'Université de Victoria pour l'évaluation des compétences en langue, s'avère polyvalent et est offert sans frais aux enseignants des établissements publics.

À ce stade-ci, l'examen est prêt à être utilisé. Si on a suivi toutes les étapes décrites précédemment, il devrait être bien fait; mais il n'est sûrement pas parfait. À vrai dire, il ne sera jamais parfait. Cependant, on en connaîtra mieux les qualités métrologiques quand on l'aura soumis à l'épreuve de l'expérience. C'est pourquoi, quand on l'aura fait passer et corrigé, on analysera les réponses des élèves à chaque item dans une dernière opération que nous appellerons « analyse des items ». C'est cette démarche qui fait l'objet de la prochaine section.

5.4 L'analyse des items

Les experts dans le domaine de la construction des examens objectifs, c'est-à-dire les spécialistes de la mesure et de l'évaluation des apprentissages, ne mettent jamais en circulation un instrument de mesure sans l'avoir mis à l'essai au préalable et soumis à l'épreuve de l'analyse d'items. C'est par eux et pour eux qu'a été imaginée cette forme d'analyse des réponses à des tests, et c'est à eux, naturellement, qu'elle rend les plus grands services. Les enseignants ont rarement le loisir d'essayer leurs examens avant de les faire passer à leurs élèves. Généralement, ils ne possèdent pas non plus la compétence technique et les ressources nécessaires pour effectuer ce type d'analyse; et même s'ils avaient les outils requis, ils n'ont souvent pas le temps d'appliquer cette méthode d'analyse aux examens qu'ils font passer à leurs élèves tout le long de l'année scolaire.

Dès lors, à quoi bon leur compliquer la vie, les initier à une technique d'analyse d'items qu'ils n'utiliseront peut-être pas? Pour deux raisons principales. Premièrement, la façon de faire des experts jette un éclairage nouveau sur la démarche suivie dans l'élaboration des examens objectifs ou des instruments de mesure en général. Deuxièmement, la compréhension de cette technique peut aider les enseignants à évaluer la qualité des examens de rendement qu'ils trouvent sur le marché, à construire eux-mêmes de meilleurs examens et, surtout, à se constituer une banque d'items éprouvés, prêts à être employés ultérieurement dans la construction de nouveaux instruments de mesure. C'est dans cet esprit qu'il faut aborder cette section.

Le tableau 5.2 montre une feuille de calcul sur laquelle ont été inscrites les réponses des élèves en fonction desquelles sont dérivées certaines informations

Tableau 5.2   Feuille de calcul pour un test de 15 items (*N* = 75)

Item	Élèves faibles				Élèves forts			Choix de réponses				Indices	
N°	NP	AF	JK		AL	GT	SR	1	2	3	4	*P*	*D*
1	0	0	1		1	1	1	**56**	11	5	3	0,75	0,13
2	0	0	0		1	1	1	3	**45**	23	4	0,60	0,40
3	0	0	0		1	1	1	12	3	**60**	0	0,80	0,40
4	0	0	0		1	1	1	34	**35**	2	6	0,45	0,70
5	1	1	1		1	1	1	6	13	6	**50**	0,67	0,00
6	1	1	0		0	1	1	11	12	11	**43**	0,57	-0,16
7	0	0	0		1	1	1	4	**68**	3	0	0,91	0,20
8	1	0	0		1	1	1	6	9	**50**	10	0,67	0,12
9	0	1	0		1	1	1	20	**30**	22	3	0,40	0,64
10	0	0	0		1	1	1	**56**	6	7	6	0,75	0,50
11	1	1	1		0	0	0	25	25	**0**	25	0,00	0,00
12	1	1	1		1	1	1	0	0	0	**75**	1,00	0,00
13	0	0	0		1	1	1	**37**	22	8	8	0,49	1,00
14	0	0	1		1	1	1	15	15	**36**	9	0,48	0,16
15	0	0	1		1	1	1	6	**57**	7	5	0,76	0,08
Score	5	5	6		13	14	14	N. B. : les bonnes réponses sont **en gras.**				Moy. 0,62	E.T. 2,88

métrologiques. Il s'agit ici d'un court test d'une quinzaine d'items comprenant chacun quatre options de réponses. Le calcul de ces indices peut se faire à l'aide d'un chiffrier électronique (Excel, par exemple). Chaque ligne correspond à un item et, dans la section de gauche du tableau, chaque colonne correspond aux réponses des élèves. Dans cet exemple, 75 élèves ont fait le test, mais, pour une question d'espace, nous ne reproduisons que les données des trois premiers et des trois derniers. Nous avons ordonné les 75 élèves par ordre croissant de scores (inscrits sur la dernière ligne), les trois plus faibles apparaissant ainsi dans les trois premières colonnes après l'identification de l'item. On voit donc que, dans cet exemple, les scores varient entre 5 et 14 sur 15.

La section consacrée aux choix de réponses (les colonnes qui suivent celles des élèves) montre la compilation des réponses en fonction de l'option choisie et fournit des renseignements importants sur le fonctionnement des items. Dans un examen à réponses choisies, l'élève peut cocher la bonne réponse ou en cocher une autre, moins bonne ou complètement fausse, parmi celles qui sont proposées. Au moment de l'analyse d'items, on examine la façon dont sont réparties entre deux, trois ou quatre leurres les réponses incorrectes des élèves. Toutes les fois que l'ensemble des mauvaises réponses est regroupé autour d'un ou de deux leurres, c'est que ces leurres semblaient plus séduisants que les autres. À cause du travail que représente la rédaction des leurres, il est intéressant de se demander comment ils fonctionnent. Les données reproduites dans le tableau 5.2 illustrent ce point. Les items 3, 7 et 12 présentent certains leurres qui n'ont pas servi. Par contre, un des leurres de l'item 4 semble presque aussi attirant que la bonne réponse.

5.4.1 La difficulté

L'avant-dernière colonne du tableau 5.2 donne la proportion des élèves qui ont choisi chacune des options de réponses. On utilise le symbole P pour désigner cette proportion puisqu'il s'agit, en fait, de la probabilité de trouver la bonne réponse. L'indice varie donc entre 0 et 1 et se calcule selon la formule suivante :

$$P = \frac{NC}{NT}$$

où P est l'indice de difficulté ;
    NC est le nombre de bonnes réponses ;
    NT est le nombre total d'élèves.

Ainsi, pour l'item 1, on trouve 56 bonnes réponses (mises en caractère gras) sur 75, ce qui donne un indice de difficulté de 0,75. Cela signifie que 75 % des élèves ont répondu correctement à cet item. Plus l'indice s'approche de 1, plus l'item est facile. Par ailleurs, étant donné l'effet du hasard avec quatre options de réponses, il faut considérer qu'un indice à peine supérieur à 0,25 signale un item très difficile.

Il faut souligner que la difficulté absolue d'une question ou d'un item n'existe pas ; une question est toujours facile pour l'élève qui en connaît la réponse, toujours difficile pour celui qui ne la connaît pas. Certaines notions peuvent être difficiles à expliquer, difficiles à comprendre, mais, quand un élève les a finalement bien comprises, toutes les questions qu'on lui posera à leur sujet lui paraîtront faciles. Inversement, une notion peut paraître très simple, mais, aussi longtemps qu'elle n'est pas comprise, les items qu'on rédige à son sujet paraîtront difficiles. De plus, comme l'enseignant peut se tromper dans son estimation subjective de la difficulté d'un item, l'indice fournit une information objective et utile sur la capacité des élèves de répondre correctement.

5.4.2 La discrimination

La dernière colonne du tableau 5.2 (page 96) correspond à l'indice de discrimination. Cet indice montre jusqu'à quel point l'item départage les élèves les plus faibles des élèves les plus forts. L'indice se fonde sur l'idée que l'ensemble du test doit représenter un tout relativement homogène et que tous les items doivent concourir à produire un score interprétable au regard de l'attribut à évaluer. La façon habituelle d'obtenir l'indice de discrimination est de calculer le coefficient de corrélation entre la réponse à un item donné (0 ou 1) et le score à l'ensemble de l'examen. Cependant, il existe une façon plus simple pour les enseignants d'obtenir un indice qui s'avère, dans la plupart des cas, tout aussi utile.

Nous avons déjà précisé que les élèves qui apparaissent dans les premières colonnes du tableau 5.2 avaient été ordonnés selon leur score à l'ensemble de l'examen. On peut juger de la capacité d'un item particulier de départager les élèves forts des élèves faibles en confrontant le nombre de bonnes réponses qu'on trouve dans les 25 premières colonnes (le premier tiers) avec le nombre de bonnes réponses qu'on trouve dans les 25 dernières (le troisième tiers). Ainsi, l'item 1, réussi par 20 élèves sur les 25 du groupe supérieur et par 14 élèves sur 25 du groupe inférieur donne un indice de 0,13. Un tel indice montre que l'item discrimine tellement peu qu'on devrait s'interroger sur sa pertinence.

Les puristes suggèrent de former des groupes supérieur et inférieur incluant chacun 27 % des sujets du groupe entier. Pour la simplicité des calculs, nous suggérons 33 %. En fait, plus le nombre de copies est considérable, plus on peut réduire la dimension des groupes extrêmes à 30 %, à 25 % et même à 20 % du groupe entier. Par contre, quand les groupes sont petits, il vaut mieux tenir compte de toutes les données disponibles. Une fois les groupes constitués, l'indice se calcule ainsi :

$$D = \frac{\text{NCS}}{\text{NTS}} - \frac{\text{NCI}}{\text{NTI}}$$

où D est l'indice de discrimination ;

NCS est le nombre de bonnes réponses dans le groupe supérieur ;

NCI est le nombre de bonnes réponses dans le groupe inférieur ;

NTS est le nombre total d'élèves du groupe supérieur ;

NTI est le nombre total d'élèves du groupe inférieur.

L'indice de discrimination d'un item indique si les élèves les plus forts dans l'ensemble de l'examen ont mieux réussi cet item que les élèves les plus faibles. Si l'indice est élevé (par exemple, dans le cas de l'item 4 du tableau 5.2), la différence de performance est claire et nette. S'il est bas, la différence est moins apparente. S'il est nul (par exemple, dans le cas de l'item 11), cette différence ne paraît pas du tout. S'il est négatif (par exemple, dans le cas de l'item 6), on doit admettre que les élèves les plus faibles ont mieux réussi que les élèves les plus forts et s'interroger sur la validité de l'item.

La figure 5.2 (page suivante) montre la façon dont l'indice de discrimination inter-agit avec l'indice de difficulté en représentant trois items : un facile, un moyen et un difficile. Les barres de l'histogramme montrent le niveau de difficulté calculé pour chacun des groupes : inférieur, intermédiaire et supérieur. Avec trois groupes égaux, la moyenne correspond à l'indice général de difficulté de l'item. On peut visualiser la discrimination en comparant la barre du groupe inférieur avec celle du groupe supérieur. Mais ce qu'il faut surtout noter ici, c'est la manière dont l'indice de discrimination dépend de l'indice de difficulté. Si, par exemple, un item est réussi par tous les élèves, par tous ceux du groupe supérieur et par tous ceux du groupe inférieur, soit 100 % des élèves, son indice de difficulté sera de 1. Puisque tout le monde a réussi, l'indice de discrimination ainsi que la différence de performance entre les deux groupes témoins seront nuls. On observe le même phénomène quand tous les élèves ratent un item.

Par ailleurs, lorsque la majorité des élèves réussit un item dont l'indice de difficulté se situe à 95 % ou 85 %, la différence entre les deux groupes n'est jamais bien grande et l'indice de discrimination, toujours relativement faible. En effet, puisque l'item est facile, il est réussi par tous les élèves du groupe supérieur et par la majorité des élèves du groupe inférieur, ce qui se traduit par un indice de discrimination relativement peu élevé. Il en est de même quand une grande partie des élèves ratent un item et que l'indice de difficulté s'établit, par exemple, à 0,3 ou à

0,35 (avec quatre options de réponses). En somme, plus les indices de difficulté sont grands ou petits, plus les indices de discrimination tendent à diminuer. C'est avec des indices de difficulté moyens qu'on peut obtenir les indices de discrimination les plus élevés. C'est en effet avec des indices de difficulté moyens qu'on peut trouver l'écart maximal entre le groupe inférieur et le groupe supérieur.

Un item dont l'indice de difficulté est de 1 (par exemple, dans le cas de l'item 12 du tableau 5.2 ou de 0 (par exemple, dans le cas de l'item 11) donne un indice de discrimination de 0. Mais un indice de difficulté de 0,5 peut, théoriquement, produire un indice de discrimination de 1. Ce serait le cas si tous les sujets du groupe supérieur réussissaient l'item, et si aucun du groupe inférieur ne le réussissait. On voit donc

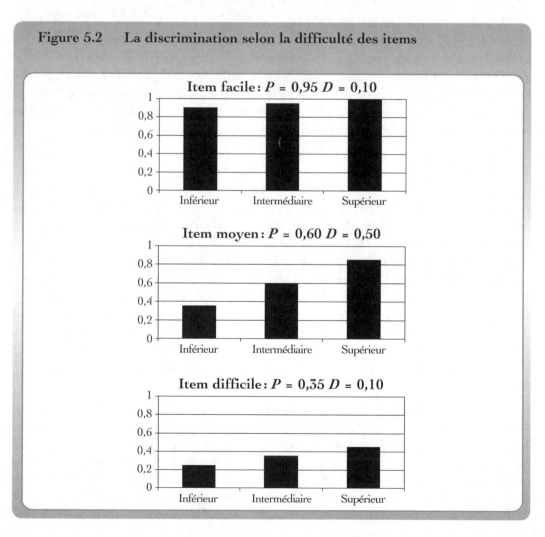

Figure 5.2   La discrimination selon la difficulté des items

qu'un indice de discrimination positif peut prendre toutes les valeurs entre 0 et 1. De même, les indices négatifs pourraient théoriquement s'échelonner de 0 à -1, quoique, dans la réalité, ils descendent rarement au-dessous de -0,10 ou de -0,15.

5.4.3 L'interprétation du score

La dernière ligne du tableau 5.2 montre les scores obtenus par chaque élève et des indices qui concernent l'ensemble du test. La moyenne est un indice familier qui donne une idée générale de la difficulté de l'ensemble du test : plus la moyenne est élevée, plus le test est facile, et vice versa. Par contre, dans certains cas, la médiane peut s'avérer une indication plus juste de la difficulté. La médiane est le score qui sépare le groupe en deux parties égales. Puisque, dans le tableau 5.2, les élèves avaient été ordonnés du plus faible au plus fort, la médiane est facile à situer.

À l'occasion d'un contrôle un peu plus important, au moment des examens mensuels ou trimestriels, par exemple, des enseignants pourraient décider d'étudier d'une façon plus rigoureuse les résultats à un examen particulier. L'analyse des items leur sera alors très utile. Ils découvriront les indices précis des items moyens et des items relativement difficiles. Certains items leur paraîtront tellement faciles ou tellement difficiles qu'ils jugeront inutile de les inclure dans des examens ultérieurs, proposés à des groupes semblables, dans des circonstances similaires. Certains des items difficiles peuvent l'être parce que les apprentissages qu'ils mesurent n'ont pas été maîtrisés ; mais ils peuvent l'être tout simplement parce qu'ils sont mal formulés. L'élimination de certains items et la reformulation de certains autres auront évidemment des effets sur la moyenne et la médiane.

L'indice inscrit dans la case de la dernière colonne de la dernière ligne est l'écart type. Cet indice donne une idée de la façon dont les sujets, dans l'ensemble, s'écartent de la moyenne. Un écart type réduit traduit le fait qu'il y a peu de différence entre les élèves et que leurs scores tendent donc à s'agglutiner autour de la moyenne. À l'inverse, un écart type important indique qu'il y a de grandes différences entre les élèves ; leurs scores sont alors répartis sur une large bande. Lorsqu'on vise une interprétation normative, on doit rechercher un écart type élevé puisque c'est la position relative des élèves qui est déterminante. Si les différences entre les scores sont minimes, aucune interprétation normative n'est possible. En éliminant les items qui ont des indices de discrimination faibles ou même négatifs, on fera augmenter l'écart type. Il s'agit fréquemment d'items ambigus qui mesurent des attributs souvent peu liés à l'apprentissage à évaluer. Il faut cependant savoir que, si l'on fait passer un examen à une classe relativement homogène, les résultats des élèves se ressembleront et les indices de discrimination seront peu élevés. Si la classe est hétérogène, les différences individuelles entre les élèves seront plus apparentes et, indépendamment du degré de difficulté des items, les indices de discrimination seront plus élevés.

Dans une classe, il est habituel que l'enseignant, au moment d'évaluer les apprentissages, s'attende à ce que la très grande majorité de ses élèves ait atteint les objectifs établis ou développe le niveau de compétence visé. Il n'est donc pas étonnant, dans ces circonstances, que les scores soient élevés et que les différences entre les meilleurs et les moins bons soient peu apparentes. On enregistre alors des indices de difficulté très élevés et des indices de discrimination très faibles. Cela se traduit alors non seulement par une moyenne élevée, mais aussi par un écart type faible. Comme on l'a vu dans le chapitre précédent, cette situation est typique d'une situation où l'interprétation critériée est favorisée. L'interprétation des résultats de la mesure pour un élève se fonde en priorité non pas sur les scores obtenus par les autres élèves, mais plutôt sur la description des habiletés. Cette définition des apprentissages sous forme d'objectifs ou de compétences devient donc la base de comparaison, le critère d'évaluation de la performance des élèves.

Avec une interprétation critériée ou dynamique, les indices de difficulté et de discrimination mentionnés précédemment ne tiennent plus; il faut trouver une autre façon d'analyser les items, d'en apprécier la qualité. Dans ce contexte, la principale préoccupation est de faire en sorte que l'enseignement favorise l'apprentissage. Ce qui importe, c'est que l'élève qui « ne savait pas » au début de l'intervention « sache » à la fin, que les habiletés soient maîtrisées. Dans un tel contexte, le meilleur item de mesure est celui qui détecte avec le plus d'efficacité possible l'effet produit par l'enseignement sur la maîtrise des habiletés. Cela suppose qu'on fasse passer un prétest et un post-test pour repérer les items qui sont les plus sensibles à l'effet de l'enseignement-apprentissage. En pratique, on doit toutefois convenir que cette solution s'avère compliquée.

5.5 Les examens standardisés

Dans les chapitres précédents, nous avons quelquefois fait allusion à des examens standardisés. Standardiser un examen, c'est uniformiser ses conditions de passation, de correction et d'interprétation des scores. Ces exigences motivent le recours fréquent aux items à réponse choisie de même qu'à une analyse systématique des items. Par opposition aux examens maison, faits sur mesure pour une classe d'élèves par le titulaire, nous appelons «examens standardisés» les examens de portée plus générale, préparés par un groupe d'enseignants, une commission scolaire, un ministère de l'Éducation ou une firme commerciale qui publie des examens de rendement scolaire. À cause de leur portée plus générale et de la clientèle élargie à laquelle ils s'adressent, ces examens sont habituellement construits en fonction des programmes d'études en vigueur et à l'aide de données obtenues auprès de différents groupes de sujets selon des modalités uniformes. C'est ce qui leur confère la qualification de standardisés.

Beaucoup d'examens standardisés doivent être interprétés de façon normative. Cela amène souvent les concepteurs de ces tests à se baser sur les résultats de l'analyse d'items pour déterminer ceux qui permettent de maximiser l'écart type. Cela suppose qu'il faut retenir des items qui présentent des indices de discrimination élevés. Cela suppose aussi, à cause du lien entre la difficulté et la discrimination, que les tests standardisés comportent souvent une majorité d'items de difficulté moyenne. Les seuils de passage de 50 % ou de 60 % qu'on trouve souvent dans les milieux scolaires québécois constituent, en partie, l'héritage d'une interprétation normative.

Les renseignements recherchés dans un examen standardisé ne sont pas les mêmes que ceux qu'on veut tirer d'un examen maison et, par conséquent, les scores obtenus dans chaque cas ne s'interprètent pas de la même façon. Le titulaire d'une classe veut savoir si tous les objectifs ou les niveaux de compétence qu'il s'était fixés ont été atteints par tous ses élèves. Les résultats de son examen indiquent effectivement l'écart entre les apprentissages visés et les apprentissages réalisés. Par contre, dans un organisme comme une commission scolaire, on ne s'intéresse pas tellement aux détails du programme ou aux difficultés d'apprentissage de chaque élève. On veut plutôt évaluer la qualité générale de l'apprentissage dans un programme donné et repérer les groupes qui éprouvent le plus de difficulté à atteindre les objectifs les plus importants ou les niveaux attendus de compétence afin de planifier des interventions pertinentes pour améliorer la situation, le cas échéant. C'est pourquoi, en fonction de la moyenne générale des scores et des moyennes individuelles de chaque classe, on situera chaque groupe d'élèves par rapport à l'ensemble de la population. De la même manière, en comparant la moyenne des scores de chaque partie de l'examen à la moyenne générale de l'examen, on découvrira les aspects du programme les mieux ou les moins bien maîtrisés.

Il est facile de comprendre qu'un organisme chargé de faire passer des examens standardisés dispose des moyens nécessaires pour construire des examens variés pouvant être expérimentés avant une utilisation à grande échelle. Il devient alors éminemment rentable d'effectuer toutes les analyses statistiques propres à assurer à ces instruments de mesure de bonnes qualités métrologiques. Dans ce même contexte, la constitution de banques d'items, pour chaque matière et chaque niveau, devient une solution à envisager. La banque elle-même se compose de fiches individuelles où l'on trouve chaque élément accompagné de tous les renseignements utiles et pertinents. Ces fiches peuvent être simples ou complexes, selon les exigences des utilisateurs. Une fiche comprend au minimum l'identification de l'item, l'énoncé de l'item et les indices de difficulté et de discrimination déjà calculés après qu'on a fait passer l'examen une première fois. Si l'on compile les résultats de plusieurs analyses, la valeur du fichier s'accroît. En effet, à mesure que s'accumulent les données relatives à un item, ses caractéristiques métrologiques se dégagent plus clairement. L'analyse des items et la constitution d'une banque d'items représentent un travail considérable, mais aussi un investissement qui procure, à la longue, des dividendes intéressants. Cette constatation a incité la Société GRICS à constituer une banque d'instruments de mesure adaptés à plusieurs des programmes enseignés au Québec (Auger et Fréchette, 1984; 1988).

À l'aide des réponses recueillies pendant la mise à l'essai des instruments ou après les avoir fait passer plusieurs fois, il est relativement facile de compiler des moyennes de groupes, de niveaux et d'âge qui permettent de préciser les normes de l'épreuve, c'est-à-dire des points de repère qui permettent de mieux interpréter les résultats de l'examen.

Les examens standardisés ont connu un essor considérable aux États-Unis. On peut s'en rendre compte en visitant les sites Internet de l'Institut Buros (http://buros.unl.edu/buros/jsp/search.jsp) et de Educational Testing Services (http://www.ets.org/index.html), où sont répertoriés des centaines d'examens standardisés qui visent à mesurer différents types d'apprentissages ou de traits de personnalité. Le plus connu de ces tests est sans doute le *Scholastic Aptitude Test* (SAT), qui est encore, chaque année, soumis à des milliers d'élèves. Les premières versions du SAT furent publiées en 1923, à une époque où le mouvement en faveur d'une mesure plus rigoureuse du rendement scolaire n'en était qu'à ses premiers balbutiements. Le but de ces examens était de fournir aux éducateurs américains un ensemble d'instruments pour mesurer l'apprentissage de la première à la neuvième année, dans toutes les matières enseignées, d'un bout à l'autre du pays. Les examens étaient accompagnés de normes nationales (par degré scolaire et par groupe d'âge) qui permettaient d'effectuer une multitude de comparaisons entre différentes catégories d'élèves. C'est à partir de ce projet ambitieux, qui en a amené plusieurs autres similaires, qu'on a désigné ces ensembles d'examens commerciaux sous le nom de batteries d'examens.

Les examens de 1923 ont été révisés, augmentés et diversifiés à maintes reprises au fil des ans. À chaque nouvelle édition, on essayait d'améliorer la validité des examens, la forme des items, la qualité des normes. Les batteries d'examens de rendement du SAT ont porté, depuis le début, sur les principales matières scolaires enseignées dans les écoles primaires et secondaires américaines. Ils comprenaient des épreuves de compréhension de la lecture, d'orthographe, de calcul arithmétique, de raisonnement mathématique, de sciences élémentaires et de sciences sociales.

Tout en évoluant et en se perfectionnant avec les années, la technique des auteurs demeurait sensiblement la même. Ceux-ci commençaient par recenser tous les programmes d'études en vigueur dans les principaux États, dans les grandes villes et dans un certain nombre de territoires géographiques. Ils analysaient le contenu des programmes et des manuels, consultaient les experts de la didactique de différentes disciplines, préparaient un ensemble de tableaux de spécifications et rédigeaient un nombre impressionnant d'items pour chaque examen qu'ils voulaient construire. Ils faisaient alors passer les ébauches d'examen à un premier échantillon d'élèves, ce qui procurait les données nécessaires à une analyse des items de chaque épreuve. Une fois qu'ils avaient éliminé, grâce à ce procédé, les 20 % ou les 30 % d'items moins satisfaisants, les auteurs faisaient passer l'examen à un deuxième échantillon d'élèves, plus considérable que le premier, pour établir les normes nationales qui devaient accompagner les examens. Avec ces données, ils calculaient ensuite les coefficients de corrélation entre les différents examens de chaque batterie et entre les différentes parties de chaque examen. Enfin, ils préparaient les clés de correction ainsi que les brochures de directives, et ils lançaient leurs examens sur le marché à l'intention de tous ceux qui voulaient bien s'en servir.

Il est facile de suivre le développement de ces batteries d'examens de 1923 jusqu'à aujourd'hui grâce aux innombrables articles de revues professionnelles qui ont été rédigés pour les analyser, les critiquer, les vanter ou les décrier. Ces examens représentent le plus gigantesque effort pour satisfaire le besoin en épreuves scolaires des enseignants américains, et leur influence aux États-Unis et dans le monde entier a été considérable.

Cette entreprise n'est pas sans soulever de profondes inquiétudes. Avec la nouvelle vision de l'évaluation qui s'impose, Shepard (2003) estime que les tests standardisés à grande échelle et à enjeux critiques constituent une forme d'anachronisme et s'inquiète de leur omniprésence. Popham (2001) mentionne cinq conséquences fâcheuses qu'a entraînées l'utilisation de tests standardisés qui, souvent, ne sont pas appropriés :

1. des pressions indues sur les enseignants, qui sont souvent jugés sur les résultats de leurs élèves ;

2. une identification trompeuse d'écoles supérieures ou inférieures sans qu'on tienne compte des contextes particuliers ;

3. la réduction des programmes d'études à certains aspects facilement mesurables ;

4. un bachotage centré sur des exercices répétitifs ;

5. des incitations au plagiat par les élèves.

Au Canada, la popularité d'un mouvement qui favorise la reddition des comptes des organismes publics a suscité également une certaine méfiance relativement au recours croissant à des examens standardisés (Froese-Germain, 1999). Ce débat interpelle les spécialistes quant aux moyens à mettre en œuvre pour satisfaire aux exigences de la reddition des comptes.

L'observation de la performance

6

Les nouvelles approches basées sur la performance imposent de nouvelles exigences et privilégient le recours à l'observation. Il apparaît maintenant nettement insuffisant de se fier à des épreuves du type de celles que nous avons présentées dans le chapitre précédent. Les examens à correction objective permettent de contrôler, dans un laps de temps relativement court, une grande variété d'apprentissages simples, spécifiques et bien identifiés. Toutefois, ils ne permettent que difficilement de pousser l'exploration en profondeur ou de découvrir les relations qui s'établissent entre différents types d'apprentissages. En général, ils donnent plutôt un aperçu statique des apprentissages qu'ils mesurent. Les élèves, devant ces questionnaires à réponses choisies, sont soumis à des contraintes sévères à l'intérieur d'un cadre rigide dont ils ne peuvent sortir pour mieux s'expliquer, pour développer ou nuancer leurs opinions et démontrer tout ce qu'ils savent ou savent faire.

Lorsqu'on désire une évaluation de type authentique qui met l'élève dans une situation où il doit réaliser une tâche complexe et contextualisée, on doit mettre au point des outils qui facilitent la tâche de l'évaluateur, permettent de bien juger des aspects les plus importants et réduisent les effets de la subjectivité, inhérente à l'observation d'une performance.

Il est important, cependant, de rappeler que le problème n'est pas nouveau et que, depuis longtemps, les éducateurs connaissent la difficulté d'évaluer sur la base de l'observation de performances complexes. Traditionnellement, bien avant l'apparition des examens à réponses choisies, quand on voulait vérifier l'apprentissage des élèves, on faisait réciter les leçons ou passer un examen. Cet examen pouvait comprendre :

- des questions auxquelles l'élève répondait oralement ou par écrit ;
- des calculs arithmétiques à effectuer ;
- des problèmes mathématiques à résoudre ;
- des théorèmes à démontrer ;

- des textes à prendre en dictée ;
- des descriptions ou des narrations à composer ;
- un thème à développer sous forme de dissertation ;
- un travail quelconque à exécuter.

Ces épreuves traditionnelles consistaient toujours en une série de tâches observables qui servaient d'indicateurs pour évaluer un changement interne non observable.

S'ils ont peu à peu été supplantés par les examens à réponses choisies (ou à correction objective), c'est qu'ils présentent certaines lacunes, particulièrement en ce qui a trait à leur fidélité et leur commodité. De plus, il arrive souvent qu'on puisse mettre en doute leur validité du fait que les enseignants ne se demandent pas toujours ce qu'ils veulent évaluer exactement. Mais s'ils ont survécu à toutes les critiques dont ils ont été l'objet, c'est aussi sans doute parce qu'ils offrent des possibilités intéressantes de vérification des apprentissages. Les examens traditionnels ont pris, dans le passé, des formes très variées ; un exercice de calcul sur les multiplications, un examen de mathématiques, une composition française, un questionnaire en histoire du Canada sont, en effet, des types d'épreuves qui ne se ressemblent pas beaucoup même si, dans chaque cas, on invite l'élève à dire ou à faire quelque chose pour montrer qu'il connaît, comprend ou sait faire quelque chose. En fait, un examen de calcul de niveau primaire portant sur les additions, les soustractions, les multiplications et les divisions s'apparente aisément à l'examen à correction objective, parce qu'il ne laisse aucune place à l'interprétation de l'enseignant, ni à celle de l'élève. Par contre, la composition française représente une performance de l'élève où celui-ci démontre ses habiletés en expression écrite, comme la personne qui exécute une pièce de piano manifeste son savoir-faire musical.

Cette forme d'examen est associée à un type de réponse que nous désignons par l'expression « réponse construite », par opposition à la réponse choisie, puisque l'élève doit élaborer sa réponse, oralement ou par écrit. On doit aussi ranger dans cette catégorie des situations d'évaluation où l'élève doit exécuter une série d'actions complexes comme la production d'une œuvre artistique, la réparation d'un appareil ou la réalisation d'un site Web, par exemple. Les réponses construites ne permettent pas toujours d'évaluer isolément différentes facettes de l'apprentissage (comme en microrégulation), mais elles laissent la possibilité d'évaluer en profondeur des apprentissages plus globaux ou plus complexes. Ainsi, en passant une épreuve à réponses construites, les élèves jouissent d'une certaine liberté pour faire état de leurs connaissances, pour les organiser avec la cohérence qui convient, pour apporter les précisions et les nuances qui leur paraissent pertinentes. En même temps qu'ils font la preuve de leur connaissance de la matière, ils peuvent montrer d'autres habiletés, d'autres compétences et des aspects intéressants de leur personnalité. Selon les renseignements qu'on veut recueillir, la souplesse des réponses construites peut constituer un avantage ou un inconvénient. C'est un avantage quand on veut aussi évaluer chez les élèves l'originalité de la pensée, l'esprit d'invention, la sûreté du jugement, la capacité d'analyse ou de synthèse, la facilité et la correction de l'expression écrite. C'est un inconvénient si l'on ne dispose pas de critères formels et explicites pour répondre (tâche de l'élève) et pour corriger (tâche de l'enseignant). À cause de sa flexibilité, la réponse construite est toujours apparue plus appropriée pour vérifier l'atteinte d'objectifs des niveaux supérieurs de la taxonomie de Bloom dans plusieurs disciplines scolaires. Dans le contexte actuel, où l'on cherche souvent à évaluer une compétence dans son intégralité, les instruments de ce type redeviennent des moyens privilégiés d'évaluer. On peut ainsi évaluer un projet d'équipe, des contes rédigés par les élèves ou le compte rendu d'une expérience scientifique, par exemple.

Les apprentissages scolaires sont trop variés et trop complexes pour qu'on puisse les évaluer à l'aide d'un seul type d'instrument. Les épreuves à correction objective ou à réponses choisies et les épreuves à réponses construites sont des instruments complémentaires qui rendent des services différents et qu'il faut savoir utiliser à bon escient. On ne se demande pas si le marteau est plus utile que le tournevis. L'un enfonce les clous, l'autre les vis. Pour certains travaux, un mauvais marteau est plus utile qu'un tournevis parfait ; dans d'autres circonstances, un tournevis de mauvaise qualité vaut mieux qu'un marteau sans défaut. L'idéal demeure évidemment de bons outils utilisés intelligemment selon les besoins. Les instruments pour évaluer l'apprentissage, nous le répétons, ne sont pas parfaits et ne peuvent pas tout faire. Mais en les employant d'une façon appropriée, quand ils peuvent fournir de bons indices de l'apprentissage, on fait preuve de bon sens et d'esprit pratique.

6.1 La définition des tâches

Avec la mise en place de programmes fondés sur les compétences, la construction de la tâche est une étape cruciale. Demander à des élèves, sans trop fixer de balises, de réaliser un projet sur des sujets comme la pollution atmosphérique, un programme communautaire ou une innovation technologique ne suffit pas pour obtenir des informations utiles pour l'évaluation. Il faut être précis dans la conception de la tâche et dans sa présentation aux élèves. Dans cette section, nous allons donc dégager les principales caractéristiques d'une tâche et voir comment on peut élaborer des tâches qui permettent de faire des inférences justes relativement aux compétences à évaluer.

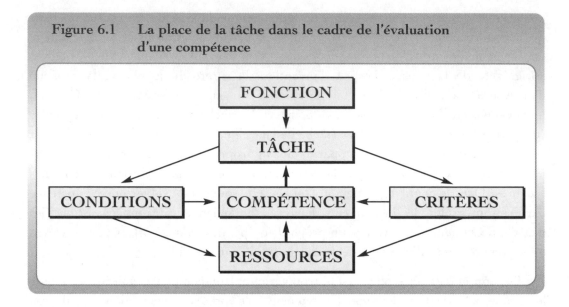

Figure 6.1   La place de la tâche dans le cadre de l'évaluation d'une compétence

6.1.1 Les caractéristiques des tâches

La figure 6.1 montre le lien entre la tâche et d'autres éléments qui doivent être pris en compte dans sa formulation. En s'arrêtant à l'axe vertical, on peut voir que la tâche doit permettre d'inférer le développement d'une compétence dont la mise en œuvre sollicite un certain nombre de ressources, soit les composantes de la compétence (des connaissances, des habiletés ou des attitudes), soit d'autres compétences. Par ailleurs, elle doit tenir compte de la fonction visée ; ainsi, une tâche conçue pour la régulation pourra varier d'un élève à un autre et porter spécifiquement sur certains aspects alors que cela ne serait pas souhaitable si l'objectif est la certification. Il faut aussi prévoir un certain nombre de conditions qui auront un effet sur la réalisation de la tâche, et un certain nombre de critères pour faciliter le jugement. À cet égard, les gens qui travaillent avec les nouveaux programmes du MEQ pourront trouver dans ces programmes un ensemble de conditions et de critères qui pourront les guider. Nous discuterons plus loin de l'importance des conditions et des critères pour ce qui est de l'évaluation.

Actuellement, la plupart des auteurs qui traitent de l'évaluation des apprentissages dans un contexte de compétence s'entendent pour dire qu'une tâche qui sert à l'évaluation doit avoir les qualités suivantes :

- Elle est contextualisée. La tâche doit référer à une situation vraisemblable dans le cadre de laquelle l'élève pourrait avoir à faire ce qui lui est demandé.

- Elle est complexe. La tâche ne se limite pas à la démonstration de l'atteinte d'un objectif particulier, mais se rattache à une compétence ou à plusieurs compétences en exigeant de l'élève qu'il mobilise plusieurs des ressources que sous-tendent ces compétences.

- Elle est signifiante. La tâche doit motiver l'élève en éveillant son intérêt et ne pas être perçue comme un simple exercice scolaire sur lequel il exerce peu de contrôle.

- Elle devient une occasion d'apprentissage. La tâche devrait être une occasion d'apprentissage non seulement par la rétroaction qu'elle permet de donner, mais par sa réalisation même.

- Elle fait appel à des attitudes particulières. La tâche doit non seulement permettre la mobilisation de ressources cognitives, mais aussi solliciter la dimension affective qui est associée aux compétences visées.

- Elle permet l'inférence. La tâche doit donner lieu à une performance qui permettra de juger le développement des compétences en fonction des critères d'évaluation retenus.

L'axe horizontal de la figure 6.1 montre aussi que la tâche est associée à des conditions et à des critères. Les conditions sont importantes de trois façons. D'abord, parce qu'elles peuvent avoir un effet déterminant sur le niveau de difficulté. Ainsi, une tâche ayant pour but d'évaluer la compétence à écrire sera plus ou moins difficile selon que l'élève doit produire un texte informatif ou un texte argumentatif, selon qu'il aura accès à des outils comme un précis de grammaire ou un correcteur orthographique d'un traitement de texte, selon qu'il devra ou non respecter une contrainte de temps. Parce qu'elles modulent la difficulté, certaines conditions sont donc souvent liées à des niveaux particuliers de maîtrise. Ensuite, les conditions définissent le contexte de réalisation de la tâche, de sorte qu'elles contribuent à rendre celle-ci plus ou moins réaliste. Ainsi, la compétence à écrire peut être évaluée par une tâche qui met l'élève dans une situation où il doit répondre à un message électronique venu d'un correspondant étranger ou commenter un film présenté la veille. Ce sont donc souvent les conditions qui servent à donner un caractère authentique à une situation d'évaluation. Enfin, les conditions servent à préciser la consigne. On peut, par exemple, indiquer le nombre de mots que doit contenir le texte servant à l'évaluation de la compétence à écrire, préciser si l'élève peut demander l'aide de ses pairs dans la réalisation de la tâche d'écriture ou simplement rappeler la date où le texte doit être remis au professeur.

On peut définir les critères comme des dimensions dont doit tenir compte l'observateur pour juger d'une compétence complexe. On s'attend à ce que ces critères soient connus, et même que l'enseignant en discute avec ses élèves. Comme on le verra un peu plus loin, un critère prend souvent la forme, au moment où il sert à l'évaluation, d'un énoncé auquel est associée une échelle. Il importe de souligner, pour l'instant, que les critères, comme les conditions, peuvent avoir un effet déterminant sur la difficulté de la tâche. Ainsi, dans le domaine des arts, une tâche peut devenir beaucoup plus difficile si l'originalité est considérée comme un critère important puisqu'il est plus difficile de produire un objet nouveau que de reproduire un modèle existant. Par contre, si les attentes en ce qui a trait aux habiletés techniques sont élevées, même une tâche de reproduction peut devenir très difficile.

6.1.2 La rédaction des tâches

Il n'est pas facile de concevoir des tâches qui satisfont aux exigences dont il a été question dans le chapitre 4. Pour être valide, une tâche doit permettre d'évaluer ce qu'on désire évaluer, c'est-à-dire l'ensemble d'une compétence ou, dans certains cas, certains de ses éléments. Si la tâche n'est pas assez complexe, on peut perdre l'essence de la compétence, c'est-à-dire un savoir-faire qui fait interagir différentes composantes. Par contre, si la tâche est trop complexe, on peut ne plus savoir exactement si la performance observée est liée au développement d'une compétence particulière, soit parce qu'elle fait intervenir d'autres compétences, soit parce que le correcteur est influencé de façon systématique par des facteurs qui sont étrangers à ce qu'on veut évaluer. Sur le plan de la fidélité, on sait aussi depuis longtemps que des correcteurs peuvent avoir des divergences de points de vue relativement à une même performance. Ces divergences seront encore plus importantes si les critères sont mal définis ou mal compris. Ce sont d'ailleurs ces divergences qui ont amené les enseignants à préférer des épreuves à correction objective, le plus souvent des épreuves à réponses choisies. Les problèmes de faisabilité ne sont pas non plus étrangers à cette préférence étant donné la lourdeur qu'impose l'observation d'une tâche, surtout si l'on vise un certain degré d'authenticité.

Le tableau 6.1 présente une fiche descriptive d'une tâche qui vise à évaluer la compétence « Interpréter des œuvres musicales » chez de jeunes adolescents. Une telle compétence se trouve dans le nouveau programme de formation produit par le MEQ, mais elle pourrait aussi se trouver dans la section des arts de la plupart des programmes qui sont construits par compétences. Dans la majorité des cursus scolaires qui comportent une compétence en interprétation musicale intégrée dans le programme commun, on trouve des éléments liés à l'étude de la pièce à interpréter, à la maîtrise technique de l'instrument et à la qualité de l'interprétation tant sur le plan de

Tableau 6.1	Fiche descriptive d'une tâche relative à la compétence « Interpréter des œuvres musicales » au premier cycle du secondaire
Tâche	• **Jouer *Pour Élise***
Compétence	• Interpréter des œuvres musicales
Fonction	• Bilan
Conditions de réalisation	• Un groupe d'élèves jouera la pièce au cours d'une séance où les parents seront invités. • L'élève évalué joue la partie mélodique accompagné d'autres élèves. • La partie mélodique est jouée au piano. • L'élève doit lire les notes sur la partition. • Il ne joue que la mélodie.
Ressources mobilisées	• Décodage des éléments du langage musical dans une pièce donnée • Exploitation des éléments de la technique musicale du piano • Prise en compte du caractère expressif d'une pièce • Capacité de suivre les conventions du jeu d'ensemble • Persévérance
Critères d'évaluation	• Enchaînement des phrases musicales • Respect du caractère expressif • Qualité du jeu d'ensemble • Posture et maintien
	• Modalités : - Grille d'évaluation avec échelle à trois crans - Autoévaluation et évaluation par l'enseignant - Tous les élèves

l'expressivité que sur le plan du respect des conventions musicales. Il est évident que cette compétence se développe sur une période très longue et peut se manifester par diverses performances qui vont de la production d'un court refrain à trois notes jusqu'à la réalisation d'une œuvre qui demande une grande virtuosité. Dans ce cas-ci, le choix de la pièce, les conditions de réalisation et les critères d'évaluation donnent à penser qu'on cherche à évaluer un niveau relativement peu avancé dans le développement de la compétence.

Le tableau 6.2 présente une fiche liée à une compétence qu'on pourrait trouver dans une formation professionnelle et formuler ainsi : «Interagir verbalement avec un client de façon appropriée». Une telle compétence devrait normalement inclure des éléments associés au rendement (efficacité, promotion du produit, etc.) et des aspects socio-affectifs (entregent, politesse). L'utilisation de la langue peut apparaître comme une habileté incluse dans la compétence ou comme une compétence de type transversal. Par ailleurs, on peut imaginer qu'une tâche qui vise l'évaluation d'une interaction avec un client sollicite d'autres compétences liées au secteur d'activité. Comme il s'agit, dans cet exemple, d'une formation qui s'adresse à un agent de voyage, la tâche proposée mettra à contribution une compétence qui a été travaillée antérieurement dans la formation mais dont on devrait tenir compte. Il est donc utile de distinguer, dans des tâches complexes, les compétences qu'on cherche principalement à évaluer de celles qu'on évaluera par ricochet. La tâche qui est proposée ici s'inscrit dans une perspective de régulation. Le formateur place ses élèves dans des situations où il y a simulation de conversations téléphoniques avec des clients qui veulent réserver un vol par téléphone. Dans cette perspective, la communication de l'évaluation se fait par la rétroaction du professeur sitôt la simulation terminée. Il faut souligner que, dans cette situation, les élèves ne sont pas tous évalués, mais qu'ils peuvent tous contribuer à la rétroaction par leurs commentaires.

À l'aide de la fiche de la tâche, on prépare les directives qui seront communiquées aux élèves. Dans la mesure du possible, on cherchera à contextualiser cette tâche en prenant garde toutefois de masquer ce qui est attendu de l'élève par des détails inutiles. Les étapes de la réalisation doivent être précisées de même que toute contrainte qu'il faudra respecter (accès à des documents, limites de temps, nombre de mots, etc.). Enfin, il est important que l'élève sache ce sur quoi il sera évalué. Les directives pourraient prendre la forme suivante.

Vous commencez à travailler pour l'agence de voyage Tour du monde. Votre patron prête particulièrement attention à la façon dont vous accomplissez votre travail, car il devra décider s'il vous confirme ou non dans votre emploi. Il vous a déjà prévenu que vous devez être particulièrement attentif aux demandes de certains clients qui peuvent parfois manifester des réactions d'impatience.

Tableau 6.2   Fiche descriptive d'une tâche relative à la compétence « Interagir verbalement avec un client de façon appropriée » en tourisme

Tâche	• **Faire une réservation de vol par téléphone**
Compétence	• Interagir verbalement avec un client de façon appropriée
Fonction	• Régulation
Conditions de réalisation	• Simulation en classe en utilisant un terminal • Travail en dyade avec un élève de la classe qui est caché par un paravent et qui a les coordonnées de sa demande sur une fiche • Le client doit feindre une certaine irritabilité.
Ressources mobilisées	• Reconnaissance des besoins du client • Gestion du temps pendant l'interaction • Promotion des produits • Règles de politesse • Aisance et entregent

	• Compétences secondaires :
	   - Traiter un dossier de réservation de vol
	   - Communiquer en français d'une manière correcte et convenable

Critères d'évaluation	• Prise en compte des besoins du client • Durée de la transaction • Information fournie au client sur un forfait particulier • Respect des règles de politesse • Utilisation appropriée de l'humour et des marques de familiarité • Réponse appropriée aux réactions du client

	• Modalités :
	   - Quelques élèves sont évalués
	   - Rétroaction du professeur et des pairs immédiatement après la simulation

Afin de reproduire la situation d'une conversation téléphonique, vous devez vous placer devant le paravent qui est dans le coin de la classe. Vous utiliserez le terminal d'ordinateur qui se trouve sur la table. Un élève jouera le rôle d'un client qui veut réserver un billet d'avion. Vous devrez exécuter toutes les étapes habituelles, depuis la prise d'information jusqu'à l'impression du billet. Vous devrez fournir différentes options à votre client pour ce qui est de son vol et ne pas oublier d'offrir la promotion de l'agence, un forfait spectacle d'une semaine à Toronto.

La réservation devrait se faire dans le temps normalement prévu pour ce type d'opération. Vous serez évalué sur cet aspect ainsi que sur votre capacité de répondre poliment aux besoins du client tout en gardant un ton amical et en utilisant judicieusement l'humour.

Bien sûr, dans ce cas-ci, des consignes claires devront être remises par écrit à l'élève qui jouera le rôle du client et prendra place derrière le paravent : destination, date de départ, date de retour, préférences quant au vol. Il faudra aussi préciser que le client devra feindre une certaine impatience devant la lenteur du préposé.

Avec la mise en place d'un nouveau curriculum construit par compétences, l'enseignant aura intérêt à se constituer une banque de tâches pour évaluer diverses compétences (Beckers, 2003). L'expérimentation permettra de déterminer si, effectivement, la tâche permet des inférences au regard des éléments à évaluer. Cela pourrait mener à des réajustements de la tâche en vue d'une utilisation future ou à son rejet de la banque. Dans cette perspective, l'enseignant devra prêter une attention particulière à la difficulté de la tâche afin de voir comment elle peut se comparer à d'autres tâches.

Évidemment, l'enseignant pourra aussi concevoir des tâches qui ne prétendent pas évaluer l'ensemble d'une compétence mais seulement certains éléments. Ainsi, on peut concevoir des tâches de révision de texte où l'étudiant doit corriger les fautes d'un texte qu'il aurait pu produire lui-même sans qu'on infère quoi que ce soit sur le développement plus général de sa compétence à écrire. On peut faire réaliser une expérience de chimie sans nécessairement porter un jugement sur une compétence qui vise l'intégration des sciences et de la technologie. Dans le domaine psychomoteur, l'observation de situations de jeu d'équipe, d'exécution d'une série de mouvements ou d'un entraînement particulier mène aussi à la formulation de tâches qui font appel à l'observation de l'évaluateur.

6.2 Les grilles d'appréciation

Les activités d'évaluation que nous avons décrites dans les exemples précédents exigent de l'évaluateur qu'il donne une appréciation d'une performance qu'il observe. Afin d'éviter que la subjectivité de l'évaluateur ne se transforme en arbitraire, on a habituellement recours à des grilles d'appréciation qui regroupent un certain nombre de critères. Il est très important de bien définir les critères qui guideront l'évaluateur. Les critères représentent les aspects importants qui doivent être pris en considération dans le processus d'évaluation.

6.2.1 La construction des grilles

On peut reconnaître deux éléments qui composent un critère : d'une part, l'énoncé et, d'autre part, l'échelle.

A. L'énoncé d'un critère

L'énoncé peut prendre la forme d'une phrase énonciative (par exemple, « L'élève réunit les informations pertinentes. »), nominale (par exemple, « Prononciation »), infinitive (par exemple, « Présenter le plan ») ou même interrogative (par exemple, « L'élève respecte-t-il les règles du jeu ? »). Dans la mesure où la nature de la tâche le permet, l'énoncé d'un critère devrait posséder les trois qualités suivantes.

1. **La pertinence.** Cette exigence suppose que l'évaluateur s'est interrogé sur les dimensions qu'il souhaite privilégier dans son évaluation en tenant compte du fait qu'une performance complexe comporte plusieurs dimensions susceptibles de mener à une appréciation de sa part, mais qu'il ne peut tout observer. Il lui faut donc se concentrer sur les éléments essentiels. Selon la décision à prendre, ces éléments essentiels peuvent varier. Ainsi, dans une situation de certification, il sera important de retenir, sans nécessairement viser l'exhaustivité, les dimensions qui décrivent le mieux l'ensemble de la compétence. Par contre, dans une situation de régulation, on pourra mettre l'accent sur les éléments que l'on souhaite travailler avec les élèves et, au besoin, ajuster les critères en fonction des besoins particuliers d'un élève.

2. **L'observabilité.** L'énoncé doit décrire un aspect observable de la compétence. Il faut se méfier d'énoncés qui traduisent des intuitions. Ainsi, dans une tâche qui vise à évaluer la lecture, une formulation comme « Comprend les idées principales. » posera des problèmes d'observabilité alors que « Dégage les idées principales. » ou « Inscrit les idées principales. » seront des critères plus faciles à utiliser parce qu'ils se prêtent mieux à l'observation. Rappelons que, même avec des critères tout à fait observables, il faut éviter de les multiplier, car il y a des limites à ce qu'un évaluateur peut observer adéquatement.

3. **L'univocité.** Il est important que l'énoncé soit précis et toujours interprété de la même manière. En arrimant son appréciation à des repères clairs, l'évaluateur risque d'être moins influencé par des facteurs externes (fidélité intracorrecteur). Une des dérives fréquentes que l'univocité des rubriques permet de

contrôler est l'effet de halo, qui survient lorsqu'une appréciation est conditionnée par une appréciation antérieure. Par ailleurs, lorsqu'il y a plusieurs évaluateurs, comme c'est le cas, notamment, dans une correction centralisée, l'univocité des rubriques permet une compréhension commune des aspects à prendre en compte dans l'évaluation (fidélité intercorrecteurs). Enfin, comme les énoncés jouent un rôle important dans la rétroaction à l'élève, ils doivent être bien compris par l'élève.

B. L'échelle d'un critère

Le second élément d'un critère est l'échelle qui est associée à l'énoncé. Évidemment, le type d'échelle le plus simple est celui qui force l'évaluateur à se prononcer sur la présence ou l'absence de la caractéristique décrite par l'énoncé. Par exemple, pour évaluer un texte argumentatif dans lequel l'élève devrait rédiger une introduction obéissant à une construction classique où il faut amener le sujet, le présenter et annoncer le plan, on peut se contenter de déterminer si chacune des étapes est réalisée ou non. Une grille d'appréciation uniquement composée de critères associés à des jugements binaires devient une liste de vérification (en anglais, *check-list*). La liste de vérification ne se limite pas à des observations simples, mais peut convenir à des situations où l'évaluateur doit trancher. Par exemple, les futurs enseignants inscrits dans les facultés d'éducation québécoises doivent effectuer des stages qui sont généralement évalués en termes de réussite ou d'échec. Dans ces circonstances, on peut choisir de juger de chacun des aspects de la performance en stage de façon dichotomique. Ainsi, en ce qui a trait au critère « Gestion de classe », l'enseignant qui reçoit un stagiaire aura simplement à décider si la gestion de classe était satisfaisante ou non, quitte à ajouter des commentaires pour nuancer sa décision.

Dans la majorité des situations, il est cependant nécessaire de porter un jugement plus nuancé, de sorte qu'on utilisera une échelle graduée, c'est-à-dire une échelle qui comportera plusieurs échelons. Dans certains cas, il est possible que l'échelle soit associée à une indication de quantité ou de fréquence. Ainsi, dans l'évaluation d'un texte argumentatif, on pourrait choisir d'établir un critère lié à l'accumulation des arguments de sorte que chaque échelon corresponde au nombre d'arguments effectivement relevés : un argument, deux arguments, trois arguments, etc. On pourrait aussi, pour les erreurs relatives au code linguistique, faire correspondre les échelons à des fourchettes constituées en fonction du nombre de fautes observées : 0-5 fautes, 6-10 fautes, 11-15 fautes, etc.

Toutefois, un des avantages de la grille d'appréciation est qu'elle permet de consigner des appréciations qualitatives. Dans bien des cas, des échelons identifiés par des adjectifs (par exemple, « faible », « moyen », « bon ») ou des locutions adverbiales (par exemple, « pas du tout », « un peu ») peuvent suffire. Le tableau 6.3 montre une grille d'appréciation pour une compétence en arts plastiques qui pourrait être « Créer des images » ou, pour utiliser la formulation des nouveaux programmes du MEQ au primaire et au secondaire, « Créer des images personnelles ». Une tâche liée à cette compétence serait la production d'une carte de vœux avec une illustration personnelle. Dans cet exemple, l'échelle comporte trois échelons qui représentent un jugement qualitatif général. Il est clair que l'évaluation d'une telle performance se prête mal à une approche quantitative. Les énoncés peuvent même poser des problèmes pour ce qui est du respect des qualités que nous avons décrites. Par exemple, il est possible qu'il faille se donner une définition opérationnelle du premier critère, l'originalité ; pour juger de l'originalité, l'évaluateur pourrait se limiter à déterminer jusqu'à quel point l'illustration d'un élève donné se distingue de celle de ses pairs.

Le même type de grille peut aussi convenir quand l'enseignant cherche à évaluer des aspects psychomoteurs. La figure 6.2 (page suivante) montre une grille qu'a utilisée un entraîneur d'une équipe sportive dans le cadre d'un programme de conditionnement physique. Les chiffres 1 à 5 renvoient à la légende qui se trouve au bas de la grille. Afin de représenter le progrès réalisé (et permettre une interprétation dynamique), l'entraîneur a tracé un cercle autour du chiffre correspondant à son appréciation au début du programme et un carré autour du chiffre correspondant à son appréciation à la fin du programme.

Tableau 6.3 Grille d'appréciation d'une tâche en arts plastiques			
Tâche : **Illustrer une carte de vœux**	Faible	Bon	Très bon
L'illustration est originale.			
L'image créée est liée à l'intention.			
L'élève utilise la couleur de façon judicieuse.			
L'élève maîtrise les techniques du dessin.			
La composition de l'ensemble est équilibrée.			

Il arrive qu'un simple adjectif ou adverbe ne suffise pas à traduire l'appréciation que doit donner l'évaluateur. On peut alors développer davantage le libellé des échelons à l'aide de phrases complètes. Par exemple, un des échelons d'un critère relié à l'autonomie de l'élève dans la réalisation d'un projet pourrait être formulé ainsi : « L'élève réalise la tâche en faisant appel à ses pairs et en faisant régulièrement vérifier son travail par l'enseignant. » Dans certains cas, une phrase ne suffit pas, de sorte que l'échelon doit être décrit au moyen d'un paragraphe. Dans les cas où les échelons sont décrits à l'aide d'une phrase ou d'un paragraphe, on parle d'une échelle descriptive.

Au cours des dernières années, l'accent qui a été mis sur les productions complexes a conduit à concevoir d'une façon différente la description des échelons d'une échelle. En effet, même en développant beaucoup le libellé des échelons, il arrive qu'on ne puisse pas traduire la complexité d'une appréciation, surtout lorsque l'éva-

---

Figure 6.2   Fiche individuelle d'appréciation de la condition physique

NOM DE L'ÉLÈVE :

TEST			ÉVALUATION		

1) Course de quatre minutes 1 2 ③ 4 ☐5☐

2) Traction
(force des épaules et des bras) 1 ② ☐3☐ 4 5

3) Redressement
(force des abdominaux) ① 2 ☐3☐ 4 5

4) Saut en longueur avec élan
(puissance des jambes) 1 2 ☐③☐ 4 5

5) Course en navette
(mouvement-vitesse) 1 2 3 ☐④☐ 5

ÉCHELLE

1 : Très faible   2 : Faible   3 : Moyen   4 : Bon   5 : Excellent

◯ Au début de l'entraînement   ☐ À la fin de l'entraînement

luateur doit se prononcer, de façon holistique, sur l'ensemble de la performance ou se prononcer en fonction d'un nombre limité de critères très larges. C'est ainsi qu'on a vu apparaître ce qu'on pourrait désigner comme des « échelles d'échantillons ». Dans cette perspective, on rassemble des productions d'élèves qui sont typiques quant à l'atteinte d'un échelon. La tâche de l'évaluateur consiste alors à déterminer à laquelle de ces productions la performance à évaluer s'apparente davantage. Ce type d'échelle est particulièrement approprié quand la performance prend la forme d'une production écrite. Dans ce cas, on rassemble des textes qui représentent des exemples typiques de la performance qu'on trouve à différents niveaux de compétence en écriture.

Le choix du type d'échelle dépend en grande partie de l'intention de l'évaluateur et de la nature de ce qu'il cherche à évaluer. Habituellement, afin de ne pas compliquer inutilement l'utilisation de l'échelle, il convient de s'en tenir à un seul type avec le même nombre d'échelons. Au moment de concevoir une échelle, l'évaluateur pourra se demander combien d'échelons il doit distinguer. À des fins de régulation, une échelle à trois crans comme celle de l'exemple du tableau 6.3 (page 119) peut être tout à fait appropriée. Par contre, dans des situations où l'on cherche à départager les élèves, il convient d'augmenter le nombre d'échelons. Si l'échelle est formulée sous forme d'accord par rapport à un énoncé (« Tout à fait en désaccord »... « Tout à fait d'accord »), on peut choisir un nombre pair d'échelons afin de forcer l'évaluateur à prendre position. Quoi qu'il en soit, il ne faut pas surestimer la capacité d'un observateur de faire des distinctions très fines. En général, au-delà de six échelons, on peut penser que la différence entre un cran et celui qui suit ou précède ne reflète pas toujours des différences réelles dans la performance observée.

6.2.2 L'utilisation des grilles

Même si un enseignant peut être appelé à utiliser plusieurs grilles d'appréciation, leur construction ne doit pas être considérée comme une action routinière. En effet, la conception de ces outils suppose un certain nombre de choix : on retient les éléments qu'on juge importants en fonction des décisions à prendre, et ce sont ces critères qui détermineront en partie les stratégies d'enseignement et les stratégies d'apprentissage qui seront mises en œuvre pour atteindre un objectif ou développer une compétence. L'exemple suivant est particulièrement révélateur de ce point de vue.

Une des activités qu'on rencontre encore très souvent dans les classes, relativement à la compétence en lecture, est la lecture à voix haute. Cette activité peut s'avérer tout à fait inutile et assez fastidieuse si une réflexion préalable ne précède pas son utilisation. Cette réflexion devrait évidemment porter sur le choix des textes et la conduite de l'activité, mais devrait aussi porter sur les critères à privilégier au moment de l'évaluation, car, inévitablement, l'activité sera orientée en fonction des choix qui auront été faits à cet égard. Lire est une activité complexe qui ne se définit pas de la même manière selon qu'on parle de lecture silencieuse ou de lecture à voix haute. Lire, même à voix haute, ne signifie pas la même chose pour l'élève du premier cycle du primaire qui en est à ses premières armes, pour l'élève du troisième cycle du primaire qui devrait maîtriser raisonnablement la technique de base et pour l'élève du secondaire qui s'exerce à une lecture expressive d'un texte poétique ou d'un dialogue dramatique. Quand on veut évaluer la lecture à voix haute, il ne suffit donc pas de se demander : « Qu'est-ce que je veux évaluer ? » et de répondre : « La lecture ! » Il faut insister : « Qu'est-ce que lire signifie exactement pour ces élèves, au niveau où ils se trouvent ? »

Les spécialistes de la lecture analysent de bien des manières l'acte de lire (Alderson, 2000). L'enseignant devrait être suffisamment informé des résultats de ces recherches pour faire des choix judicieux. Il pourra ainsi comprendre que la lecture à voix haute est une forme particulière de lecture qui peut, à l'occasion, servir à développer certains mécanismes d'analyse grammaticale et à améliorer la maîtrise de la prononciation et de la prosodie. Il devra aussi planifier des activités qui visent d'autres dimensions de la lecture et construire des grilles d'appréciation appropriées. Aucune règle absolue ne peut déterminer le nombre de composantes qui entrent dans la fabrication d'une grille d'appréciation de la lecture. Tout dépend du but qu'on poursuit. C'est pourquoi il n'existe pas de grilles définitives en ce domaine, mais plutôt des suggestions susceptibles d'aider chaque enseignant à construire, selon ses besoins, ses propres outils de travail.

Pour un élève du primaire, lire convenablement veut sans doute dire lire au moins les bons mots, sans les déformer, sans les remplacer par d'autres qui leur ressemblent, en les prononçant correctement et en articulant les syllabes avec le moins d'hésitation possible. À un stade plus avancé, on peut exiger le respect de la ponctuation, la présence des liaisons, le regroupement logique des mots à l'intérieur de chaque phrase, un ton plus ferme, une certaine fluidité de l'élocution, le contrôle du débit de la lecture et une certaine qualité de l'intonation et de l'expression. Il n'est pas nécessaire d'évaluer en même temps tous les aspects de la lecture. On détermine d'abord les plus importants et les plus nécessaires, ceux sur lesquels devraient surtout porter les efforts des élèves dans leur apprentissage ; on leur ajoutera plus tard les aspects complémentaires qui marqueront des étapes successives de l'apprentissage. Selon le niveau des élèves et le stade où ils sont parvenus, on choisit donc les éléments qui conviennent et on les énumère dans la grille.

L'exemple que nous avons retenu (voir le tableau 6.4) comprend 10 critères liés à l'apprentissage de la lecture à voix haute par des élèves du premier cycle du secondaire.

Avec les mêmes éléments, nous aurions pu construire deux grilles plus courtes : l'une élémentaire, formée des cinq premiers critères, pour évaluer la lecture en début d'apprentissage, et l'autre, plus exigeante, composée des cinq derniers critères, pour évaluer la lecture en fin d'apprentissage.

Une fois clairement définies les composantes de la lecture qu'il veut évaluer séparément, l'enseignant doit choisir l'échelle qui lui permettra de nuancer chacun de ses jugements. Dans l'exemple retenu, nous avons opté pour une échelle à six échelons où 0 et 1 désignent une performance faible, 2 et 3, une performance moyenne ou

Tableau 6.4   Grille d'appréciation de la lecture

Nom de l'élève :							xxxxx	
Critères de performance	Faible		Moyen		Excellent		X	Total
	0	1	2	3	4	5		
1) Respect du texte						•	1	5 / 5
2) Correction de la prononciation					•		1	4 / 5
3) Respect de la ponctuation					•		1	4 / 5
4) Respect des liaisons				•			1	3 / 5
5) Regroupement logique des mots				•			1	3 / 5
6) Volume de la voix					•		3	12 / 15
7) Fluidité de l'élocution					•		3	12 / 15
8) Contrôle du débit					•		3	12 / 15
9) Variété de l'intonation				•			3	9 / 15
10) Vigueur de l'expression				•			3	9 / 15
INDICE DE LA PERFORMANCE GLOBALE : *Assez bon*								73 / 100

satisfaisante, 4 et 5, une performance très bonne ou excellente. Une échelle plus simple pourrait ne comprendre que trois échelons sans qu'on cherche à nuancer au moyen de symboles numériques. Dans notre exemple, ces symboles servent à introduire dans la grille un facteur de pondération (X) qui permet d'accorder un poids plus considérable à certains facteurs plus importants que les autres. Si, par exemple, on trouve tout à fait normal que les élèves satisfassent aux exigences des cinq premiers critères de la grille, on accorde à ceux-ci une pondération de 1. Si l'on cherche plutôt à améliorer l'apprentissage de la lecture en insistant sur les cinq derniers, on leur attribue, comme dans le tableau 6.4, un facteur de pondération de 3. Cela offre la possibilité de réaliser certaines opérations mathématiques en vue d'obtenir un score. L'indice maximal de performance sera ici de 100, un point de repère familier dans les milieux scolaires. D'une certaine manière, on transforme un résultat issu d'une démarche d'observation en une mesure. La quantification des résultats de l'observation est une opération délicate qui pose un certain nombre de problèmes. Sur quelle base théorique peut-on défendre une pondération particulière ? Que représente un score qui découle de l'addition d'appréciations qui ont chacune leur spécificité ? Quel effet peut avoir sur l'interprétation du score le fait de compenser une appréciation défavorable d'un critère par une appréciation favorable d'un autre critère ? Le calcul d'un score ne risque-t-il pas d'escamoter l'intention initiale, qui est souvent de fournir un diagnostic sur la réalisation d'une tâche plutôt que d'obtenir un indice général ? Il faut donc utiliser cette forme de quantification avec circonspection.

Un observateur exercé peut évaluer une performance de lecture à voix haute en jugeant directement les différents aspects de cette lecture, un peu comme les juges d'une compétition de patinage artistique évaluent du même coup les candidats et les candidates en fonction de deux points de vue différents : la performance technique et la performance artistique. Mais il peut également prendre des notes pendant que l'élève lit, afin de remplir ensuite sa grille d'appréciation avec plus d'assurance. Il utilise alors une fiche d'observation afin d'inscrire et de compiler tous les indices significatifs. Il lui suffit alors d'analyser davantage les composantes de la lecture et d'énumérer les indices précis qui correspondent à chacune. Ainsi, prononcer correctement signifie prononcer adéquatement les voyelles et les consonnes ; faire attention aux liaisons signifie faire les liaisons nécessaires avec les *s* et les *t* qui terminent certains mots, et ne pas faire celles qui ne conviennent pas. Dans sa fiche d'observation, au regard de chaque composante, il note par des signes conventionnels (+ pour bonne liaison, - pour mauvaise liaison, x pour omission d'une liaison) tout ce qu'il observe. Dans le tableau 6.5, nous présentons un modèle de fiche d'observation qui permet de compiler les données utiles pour remplir ensuite une grille qui définit plus globalement les critères de performance du tableau précédent.

Tableau 6.5   Fiche d'observation en lecture

Nom de l'élève			
COMPORTEMENTS OBSERVÉS	INDICES POSITIFS	INDICES NÉGATIFS	OMISSIONS DIVERSES
1 Mots transformés; mots remplacés; mots omis			
2 Consonnes, voyelles bien, mal ou pas prononcées			
3 Virgules, points, points-virgules respectés ou non respectés			
4 Liaisons avec *s, t, h, p, n, m, r* respectées, non respectées ou omises			
5 Pauses logiques, illogiques; pauses omises			
6 Voix faible ou forte			
7 Élocution aisée, fluide, hésitante, saccadée			
8 Débit régulier, lent, rapide, irrégulier, vivant			
9 Intonation variée, monotone, terne			
10 Expression vigoureuse, timide, adéquate, exagérée			

L'enseignant peut aussi choisir de prendre des notes de façon moins organisée en s'assurant toutefois d'avoir consigné des observations pour chacun des critères de la grille. Ce type de notes risque de toute façon de lui être nécessaire parce que, même avec la meilleure grille, il peut y avoir des appréciations qui doivent être nuancées ou mises en contexte, ou des observations essentielles qui ne sont couvertes par aucun critère. Il est donc important de prévoir dans la grille d'appréciation un espace afin de faire des commentaires. Un commentaire judicieux sur l'ensemble de la performance peut d'ailleurs représenter une option intéressante au calcul d'un score qui prétend rendre compte du jugement global.

En rédigeant des énoncés univoques se rapportant à des aspects pertinents et observables, l'évaluateur se donne aussi un outil pour communiquer les résultats de son observation. À cet égard, il est important que l'élève connaisse et comprenne les critères sur lesquels il sera évalué avant même de réaliser la tâche qu'on lui demande. Si l'on veut que l'élève mette en branle ses habiletés métacognitives pour faire un retour sur son apprentissage, il est important qu'il dispose de balises lui permettant de porter un jugement sur les performances qu'il arrive à produire et sur la façon dont il les produit. Dans cette optique, nous verrons, dans le prochain chapitre, comment les grilles d'appréciation peuvent être utiles quand les élèves participent à leur propre évaluation en ce qui a trait autant aux apprentissages du domaine cognitif qu'à ceux des domaines affectif et psychomoteur.

6.3 Les épreuves officielles

Dans le cadre de sa réforme, le MEQ a décidé de maintenir des épreuves officielles à la fin du primaire, à des fins de pilotage du système, et au moment de la sanction, à la fin du secondaire, alors que ces épreuves serviront à la certification. Dans le cas de la sanction du secondaire, l'évaluation reste une responsabilité partagée avec l'école. Le plan de mise en œuvre qui accompagne la nouvelle *Politique d'évaluation des apprentissages* (Ministère de l'Éducation du Québec, 2003a) prévoit que le ministère soutiendra les milieux scolaires dans la conception et l'élaboration de nouvelles modalités d'évaluation qui s'harmoniseront avec le nouveau curriculum ; de plus, dans ce plan, on laisse entendre que le ministère modifiera la nature des épreuves uniques qu'il impose.

Étant donné qu'on met l'accent depuis quelques années sur la réalisation de performances complexes à des fins d'évaluation, les approches classiques pour élaborer des épreuves officielles sont mises en question. Par exemple, avec le nouveau curriculum au Québec, les apprentissages en histoire sont intégrés dans un domaine plus large, l'univers social, qui inclut la géographie et l'éducation à la citoyenneté. Les compétences que comprend le domaine de l'univers social ne se prêtent guère à une évaluation des apprentissages en histoire telle que celle qui s'est pratiquée au cours des dernières années, alors qu'on utilisait systématiquement des épreuves à choix de réponses.

On peut s'interroger sur les transformations qui se produiront en ce qui a trait à la sanction des études au Québec. La situation s'apparente à celle qu'on trouve dans de nombreux autres systèmes éducatifs qui ont mis de l'avant des réformes privilégiant des apprentissages complexes dans des perspectives constructivistes. Beaucoup de ces réformes prônent en même temps des mécanismes de reddition de comptes qui découlent d'une nouvelle vision des rapports entre les organismes publics et les populations qu'ils doivent desservir. La préparation d'épreuves officielles qui concilient ces deux exigences ne va pas de soi. D'une part, les moyens d'évaluation qui reposent sur l'observation ne sont pas toujours faciles à élaborer à des fins de certification dans le cadre d'épreuves uniformes à grande échelle ; d'autre part, même quand on peut élaborer de telles épreuves, la nécessité de recourir à des évaluateurs tout en maintenant un niveau élevé de fidélité engendre une lourdeur administrative et des coûts importants.

Ce défi peut cependant être relevé. L'épreuve de français langue d'enseignement qui est présentement utilisée à la fin du secondaire au Québec est un exemple de ce qui peut être fait à cet égard. Dans cette épreuve, l'élève doit produire un texte argumentatif sur une question qui lui est annoncée au moment de l'examen mais dont le thème est connu quelques semaines à l'avance. En effet, les élèves ont l'occasion de se familiariser avec ce thème à l'aide des documents que distribue préalablement le MEQ. La grille a récemment fait l'objet de révisions afin de rendre l'épreuve plus valide et plus fidèle, et les résultats font l'objet d'un suivi serré afin de maintenir la qualité métrologique. La grille comporte deux volets qui regroupent chacun trois critères :

- la cohérence de l'argumentation : on y trouve les critères « Pertinence, clarté et précision », « Organisation stratégique » et « Continuité et progression » ;

- le respect du code linguistique : on y trouve les critères « Utilisation des mots », « Construction des phrases et ponctuation » et « Orthographe ».

Les énoncés sont associés à une échelle descriptive à cinq échelons gradués qui partent d'une « compétence insuffisante » et vont jusqu'à une « compétence marquée ». Les deux derniers critères (liés au code linguistique) ont un caractère plus quantitatif puisque les échelons sont délimités par le nombre d'erreurs relevées par le correcteur. Les deux volets ont un poids égal, mais la pondération des critères à l'intérieur des volets varie selon l'importance de la dimension.

La passation se fait localement mais au même moment dans toutes les écoles. Par contre, la correction est centralisée, c'est-à-dire qu'elle est faite par une équipe de correcteurs. Une formation poussée et un encadrement serré des correcteurs amènent ceux-ci à interpréter les critères de la même manière, permettant ainsi de maintenir des niveaux acceptables de fidélité intercorrecteurs et intracorrecteur.

La mise en place de ce dispositif montre qu'il est effectivement possible d'élaborer et de faire passer des épreuves qui amènent des élèves à réaliser des performances complexes et contextualisées qui demandent l'appréciation d'un correcteur. De ce point de vue, cette épreuve représente une référence pour ce qui est des mécanismes de sanction qui pourraient être mis en place dans le contexte de l'application de la réforme.

La participation de l'élève à l'évaluation

Nous avons jusqu'à présent surtout insisté sur les défis que pose la réorganisation des contenus des programmes d'études. Nous savons que les réformes qui se mettront en place dans beaucoup de systèmes éducatifs comportent non seulement des propositions quant à ce qui doit être enseigné, mais aussi des propositions quant à la façon de l'enseigner. Or, il est difficile d'imaginer que des changements d'orientations importants dans les approches pédagogiques n'aient pas d'incidence sur les pratiques évaluatives, du moins en ce qui a trait à celles qui concernent la régulation des apprentissages. Ainsi, lorsqu'on prône une pédagogie différenciée, comment ne pas chercher à différencier les moyens qui servent à la régulation, en fonction des besoins de chacun des élèves ? L'accent qui est mis sur la métacognition suppose également un engagement de l'élève dans son apprentissage et, conséquemment, dans l'évaluation de celui-ci. La pédagogie de la coopération, qu'on associe souvent à l'intégration des élèves en difficulté de même qu'à un apprentissage par des projets en équipe, exige qu'on reconsidère les façons d'évaluer les élèves.

Dans ce chapitre, nous allons décrire différentes avenues qui s'ouvrent afin que l'élève participe davantage à l'évaluation de ses apprentissages. Comme cette approche de l'évaluation suppose un engagement de l'élève, nous allons, dans un premier temps, examiner le lien entre évaluation et motivation. Nous terminerons le chapitre en présentant le portfolio, une technique qui est de plus en plus répandue.

7.1 L'évaluation et la motivation

Dans un effort de synthèse des diverses théories sur la motivation, Viau (1994) conclut que la motivation à s'engager dans une activité dépend de trois perceptions qu'entretient l'élève par rapport à cette activité.

1. **La valeur de l'activité.** Un premier type de recherche, dont font état Dweck et Leggett (1988), montre qu'un élève sera motivé à réaliser l'activité qu'on lui

propose dans la mesure où il la perçoit comme utile, c'est-à-dire dans la mesure où elle lui permet de réaliser un but qui lui semble important. Dans un univers compétitif et un système scolaire qui valorise l'obtention de résultats scolaires élevés, qui apparaissent comme un élément déterminant de la réussite sociale, on conçoit aisément que la possibilité d'obtenir une évaluation positive, qui se traduira par une bonne note dans un bulletin ou un bilan, peut devenir un puissant facteur de motivation. Adoptant une interprétation normative, les enseignants utilisent ce levier depuis longtemps et rien ne permet de penser qu'ils cesseront de le faire. Cette motivation peut prendre différentes formes : faire plaisir aux parents, obtenir une cote pour être admis dans un programme contingenté, recevoir une récompense, etc. On dit alors qu'il s'agit d'une motivation extrinsèque puisque le but visé n'est pas directement lié aux bénéfices qu'apporte la réalisation d'une activité d'apprentissage, c'est-à-dire la compréhension du monde, l'enrichissement personnel et le sentiment d'avoir relevé un défi inhérent à la tâche. La dominance d'une motivation extrinsèque entraîne le bachotage, c'est-à-dire la mise en œuvre de stratégies qui visent uniquement à réussir une épreuve. Les effets pervers du bachotage sont particulièrement observables lorsque les épreuves manquent de validité parce que l'élève est alors détourné des objectifs d'apprentissage. Cela peut conduire à des apprentissages de surface (par exemple, la mémorisation d'éléments) qui ne contribuent pas à modifier de façon profonde et durable les représentations de l'élève. À long terme, l'élève peut en venir à se désintéresser de l'école. Anderman et Maehr (1994) expliquent ainsi le déclin de la motivation qu'on observe chez beaucoup d'élèves autour de la sixième année. Pour ces chercheurs, il est important d'entretenir une motivation intrinsèque en mettant l'accent sur la tâche et les apprentissages qu'elle permet, de même que sur les efforts à déployer pour la réaliser.

2. **La probabilité de réussir.** Les recherches de Bandura (1986) ont montré que la perception que l'élève a des possibilités de réussir ou non une tâche est déterminante. L'auteur parle, dans ce contexte, du sentiment d'efficacité personnelle. Ainsi, les élèves s'engageront dans des tâches et persisteront dans leur exécution s'ils ont le sentiment d'être capables de les terminer avec succès. Plusieurs sources d'information contribuent à forger le sentiment d'efficacité personnelle. L'enseignant qui fait beaucoup de renforcement verbal ou, de façon générale, qui donne une rétroaction constructive à ses élèves les aide à développer cette confiance. L'expérience antérieure est également un facteur important, de sorte que le niveau de difficulté des tâches qu'on soumet aux élèves doit toujours être considéré puisque l'expérience de tâches trop difficiles affecte la confiance des élèves. Ames (1992) a montré que le fait de

soumettre des élèves à une évaluation où le risque d'échec est élevé sape leur motivation. Idéalement, les enseignants devraient proposer à leurs élèves des défis réalisables, c'est-à-dire des tâches qui sont tout juste au-dessus de leur niveau. Enfin, la perception d'un élève relativement à la probabilité de réussir est aussi liée à une troisième perception, qui est celle du degré du contrôle qu'il exerce sur la tâche.

3. **La contrôlabilité.** Viau se rapporte aux recherches de Weiner (1986) dans le cadre de la théorie de l'attribution pour dire qu'un élève qui jouit d'une certaine latitude dans la démarche qu'il suit pour réaliser une tâche tend à percevoir qu'il exerce un contrôle sur la situation. Cela tient au fait que les individus cherchent naturellement à comprendre pourquoi ils réussissent plus ou moins bien une tâche et à ajuster leurs stratégies de façon à maximiser leurs chances de réussir. Ainsi, un élève sera davantage motivé s'il perçoit que son succès dépend des efforts qu'il met dans une activité plutôt que du hasard ou d'un niveau de difficulté qu'il ne contrôle pas (Stipek, 2002). Dans cette perspective, Parkes (2000) affirme que les enseignants qui valorisent beaucoup les efforts que font leurs élèves renforcent la perception de contrôlabilité et améliorent la motivation de leurs élèves. De même, les situations d'évaluation fortement encadrées, notamment en ce qui a trait au temps imparti, peuvent miner la motivation. Par ailleurs, on peut comprendre qu'une rétroaction qui se fonde essentiellement sur une interprétation normative peut avoir des effets très démotivants pour certains élèves puisqu'elle les amène à croire que leur succès dépend essentiellement de leurs capacités, un facteur qu'ils considèrent ne pouvoir contrôler.

Dans ce contexte, il convient de se demander si les pratiques évaluatives actuelles tiennent compte de résultats de recherches qui sont connus depuis un certain temps en ce qui a trait à la motivation. Hancock (2001) rappelait qu'une utilisation trop intensive des dispositifs d'évaluation, particulièrement lorsqu'ils favorisent une interprétation normative, a des effets négatifs sur la motivation et que ces effets sont plus prononcés chez les élèves qui éprouvent des difficultés en classe. On peut penser que l'usage exclusif de moyens d'évaluation dont les données sont interprétées de façon normative exerce, du moins à court terme, un effet motivant sur les quelques élèves qui se distinguent, mais un effet démotivant sur la grande majorité. Par contre, l'utilisation de moyens qui amènent une interprétation critériée serait de nature à maintenir la motivation (Crooks, 1988; Weiss, 1994). De même, la parcimonie dont font parfois preuve les enseignants dans la rétroaction qu'ils donnent à leurs élèves peut avoir un effet négatif sur la motivation générale (Brookhart et DeVoge, 1999). Enfin, le schéma classique où l'enseignant se pose comme seul évaluateur dans une situation qu'il contrôle totalement cadre mal avec les théories que nous venons brièvement de décrire.

7.2 L'autoévaluation

Les nouvelles approches préconisées dans la plupart des systèmes éducatifs où a eu lieu une réforme au cours des dernières années mettent l'accent sur l'engagement de l'élève dans ses propres apprentissages et sur le développement de la métacognition, celle-ci étant parfois définie comme une compétence transversale. Rappelons que la métacognition réfère à des processus mis en œuvre par l'élève lui-même, processus par lesquels il s'interroge sur le déroulement de ses apprentissages et tente de les objectiver en vue de développer des stratégies d'apprentissages plus efficaces. De ce point de vue, on peut penser que la métacognition implique, de la part de l'élève, qu'il puisse porter un jugement sur ses apprentissages, c'est-à-dire s'autoévaluer (Wolfs, 1996).

Legendre (1993, p. 118) définit l'autoévaluation comme « le processus par lequel un sujet est amené à porter un jugement sur la qualité de son cheminement, de son travail et de ses acquis en regard d'objectifs prédéfinis, et tout en s'inspirant de critères précis d'appréciation ». Cette définition précise deux caractéristiques essentielles de l'autoévaluation : premièrement, il faut que l'élève reconnaisse clairement l'objet à évaluer (un objectif, une compétence ou un élément particulier) et, deuxièmement, il faut que des critères clairs lui aient été préalablement communiqués.

Dans le chapitre 6, nous avons expliqué la construction et l'utilisation des grilles d'appréciation, grilles que l'enseignant peut remettre à l'élève. L'exemple du tableau 7.1 montre une grille adaptée d'une suggestion provenant d'un ouvrage préparé par un groupe d'éducateurs du Connecticut où l'on trouve une série de tâches authentiques (Hibbard et autres, 1996, p. 32). Il s'agit ici d'évaluer un projet dans le cadre duquel les élèves devaient se prononcer sur la pertinence de construire une école dans un quartier situé à proximité d'une zone marécageuse protégée. On peut remarquer que l'élève et l'enseignant expriment tous deux leur appréciation au regard de critères connus à l'avance. De ce point de vue, on pourrait parler de « coévaluation ». On notera aussi que les critères sont pondérés et que le maximum de points possibles est 150.

Dans certains cas, on aura intérêt à concevoir des grilles spécifiquement pour l'autoévaluation, particulièrement quand on souhaite se concentrer sur certains aspects ou lorsqu'il faut simplifier la grille. Par exemple, au primaire, on pourrait demander à des élèves de dessiner une scène illustrant une histoire et d'écrire un paragraphe racontant cette histoire. La grille d'autoévaluation pourrait ne comprendre que trois énoncés préalablement bien expliqués, chacun étant associé à une échelle visuelle (voir la figure 7.1).

Tableau 7.1   Grille d'appréciation du rapport sur la construction de l'école Mille Soleils

Critères	Points possibles	Appréciation	
		Autoévaluation	Enseignant
1) Le problème est bien décrit.	5		
2) La méthodologie de l'étude est résumée.	15		
3) Les diagrammes et les images sont utilisés efficacement pour présenter les données.	15		
4) Les concepts scientifiques pertinents sont utilisés correctement.	20		
5) Le vocabulaire scientifique est expliqué.	10		
6) L'information personnelle appuie l'information provenant du matériel recueilli.	5		
7) Les conditions de l'école Mille Soleils sont résumées de façon concise.	10		
8) On trouve des recommandations pour protéger le ruisseau Saint-Damien.	20		
9) Les diagrammes et les images appuient le commentaire accompagnant les recommandations.	15		
10) Toutes les recommandations sont justifiées.	20		
11) Il y a un énoncé en conclusion qui présente la position de l'auteur.	5		
12) L'orthographe est respectée et la langue est claire et correcte.	10		
TOTAL	150		

Source: Adapté de Hibbard et autres (1996, p. 32).

Figure 7.1 Questionnaire d'autoévaluation pour le primaire

L'histoire illustrée

NOM: ______________________

Le paragraphe résume bien l'histoire.

Mon histoire est originale.

Mon dessin correspond à l'histoire.

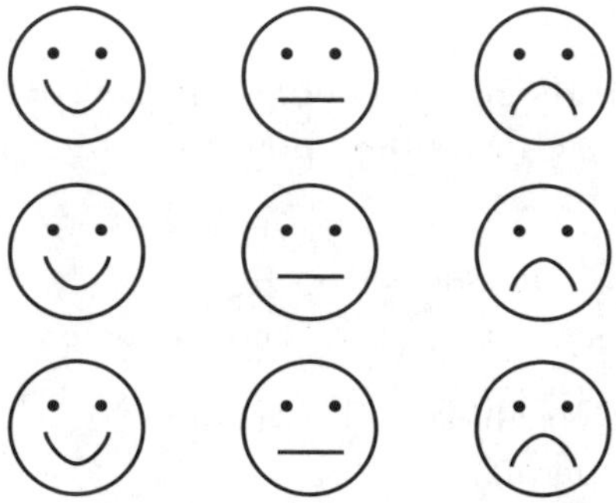

Dans cet exemple, une expression souriante indique que l'élève juge sa performance à la hauteur alors qu'une expression triste signale que l'élève perçoit des lacunes.

Bien que l'autoévaluation ait été utilisée pour remplir différentes fonctions de l'évaluation, notamment le classement en langue seconde ou étrangère (Ross, 1998), elle demeure essentiellement au service de la régulation. Dans l'optique de responsabiliser l'élève et de lui apprendre à devenir autonome, on dira que l'autoévaluation devient le moyen privilégié de favoriser l'autorégulation. Selon la situation, elle pourra prendre diverses formes.

- Un élève fait l'analyse des fautes que son enseignant a entourées dans un texte et conclut qu'il devra prêter attention à une catégorie particulière d'erreurs grammaticales.
- Un élève du primaire colorie une figure sur sa feuille selon un code de couleurs donné pour indiquer qu'il est plus ou moins satisfait du travail qu'il vient de fournir dans un exercice en mathématiques.
- Un élève fait le bilan de sa contribution à un projet d'équipe sur une feuille qui accompagne le document final.

- Un élève de la fin du secondaire se réfère à la grille d'évaluation de l'épreuve ministérielle en français écrit pour réviser le texte argumentatif qu'il remettra.

- Une stagiaire en sciences infirmières fait un retour réflexif sur son expérience des derniers jours en commentant ses interventions à l'occasion d'un séminaire de stage.

- Un élève dont l'attitude en classe est négative rencontre son professeur pour lui dire ce qu'il pourrait faire pour améliorer la situation.

On pourrait ainsi multiplier les exemples, mais ceux qui viennent d'être présentés suffisent à montrer comment l'autoévaluation peut naturellement s'intégrer dans une planification de classe qui prévoit des moments où l'élève doit réfléchir sur une situation afin d'en tirer le meilleur bénéfice possible du point de vue de son apprentissage. Allal (1999) reconnaît trois « promesses » dans le recours à l'autoévaluation.

1. Sur le plan personnel, l'autoévaluation donne l'occasion aux élèves de développer leur autonomie, car ils en arrivent à transférer, dans diverses situations, l'habileté à évaluer leurs réalisations.

2. Sur le plan pédagogique, l'autoévaluation permet aux élèves de remplir une fonction autrefois réservée à l'enseignant ; celui-ci dispose ainsi de plus de temps pour satisfaire les besoins particuliers de ses élèves.

3. Sur le plan professionnel, les élèves développent, par la pratique de l'autoévaluation, des habiletés de plus en plus importantes dans le monde du travail, où il arrive souvent qu'une personne doive faire part de son appréciation de sa propre performance.

Malgré l'intérêt de l'autoévaluation, il ne faut toutefois pas trop attendre de ce moyen. D'abord, il faut se souvenir que l'habileté à l'autoévaluation doit se développer, comme la métacognition, du reste, et qu'il faut donc prendre le temps de favoriser ce développement et créer des situations qui amènent l'élève à exercer un jugement critique sur ses propres productions. De plus, comme le rappelle Laveault (1999) dans le cadre des théories de la motivation que nous avons esquissées dans la section précédente, la métacognition qu'on vise à développer par le truchement de l'autoévaluation est elle-même un indicateur de la motivation de l'élève. En d'autres termes, sans motivation, on ne peut espérer ni métacognition ni autorégulation. Ce chercheur conclut qu'il est important de revoir le rôle de l'enseignant et de proposer des activités motivantes pour les élèves si l'on veut éviter que les seuls élèves qui pratiquent véritablement l'autoévaluation soient ceux que l'enseignant juge les meilleurs.

7.3 L'évaluation par les pairs

Si l'on conçoit que, dans une perspective d'autorégulation, l'élève puisse évaluer ses propres apprentissages, on doit logiquement admettre que les autres élèves puissent également participer à cette évaluation. Cela semble aller de soi, d'autant plus que beaucoup d'enseignants adoptent une pédagogie par projets et que ces projets sont le plus souvent réalisés en équipe. La pédagogie par projets est souvent inspirée des approches d'enseignement coopératif dans le cadre desquelles on tente de faire de la classe une sorte de communauté apprenante où l'enseignant doit capitaliser sur les interactions entre les élèves et sur leur sens de l'entraide. Dans ce contexte, on peut imaginer une évaluation par les pairs qui peut prendre différentes formes.

- En fonction d'un ensemble de critères, des élèves sont amenés à commenter l'exposé oral que vient de présenter un des leurs.

- Au moment de la remise d'un projet d'équipe, chacun des membres remplit une grille d'appréciation pour évaluer la qualité de la participation de chaque membre de l'équipe.

- Les élèves les plus forts en résolution de problème en mathématiques donnent une rétroaction à des élèves qui éprouvent des difficultés en se basant sur une liste de critères d'appréciation.

- À la suite d'un quiz composé de quelques questions à choix de réponses permettant d'évaluer des connaissances déclaratives en sciences, les élèves échangent leur copie pour calculer le score.

- Dans le cadre d'une formation en microenseignement où de futurs enseignants simulent entre eux des situations de classe, les membres du groupe visionnent les enregistrements vidéo produits, remplissent une fiche d'observation et en discutent.

Il faut remarquer que les « promesses » que reconnaissait Allal dans l'autoévaluation pourraient aussi se réaliser avec l'évaluation par les pairs puisqu'elle favorise l'autonomie, dégage l'enseignant et développe une habileté transférable hors de la classe. Sur ce dernier point, on sait que des adultes se trouvent souvent dans une situation où ils doivent fournir une rétroaction sur la performance d'une personne. Cette tâche fait appel non seulement à la métacognition, mais aussi à des habiletés sociales. À cet égard, la situation d'évaluation par les pairs peut devenir l'occasion de juger de certaines compétences transversales liées à la coopération, au respect d'autrui et à la communication orale.

7.4 Le portfolio

La plupart des gens gardent en mémoire l'image de l'artiste, spécialisé dans l'illustration et le dessin, qui transporte un grand cartable noir dans lequel il range précieusement ses meilleures productions afin d'illustrer sa compétence au moment de solliciter un contrat ou de postuler un emploi. On a pris l'habitude de désigner ce cartable par le mot anglais « portfolio ». Trois caractéristiques du portfolio de l'artiste doivent être relevées afin de comprendre l'usage que l'on fait de ce terme depuis quelques années dans le domaine de l'éducation.

1. L'artiste range dans son portfolio les productions qu'il juge les meilleures.

2. L'artiste en présente le contenu lorsqu'il doit convaincre quelqu'un de ses compétences.

3. Le portfolio se modifie par le retrait de certaines pièces et l'ajout de nouvelles.

L'artiste choisit donc parmi ses productions ce qui est le plus représentatif de la maîtrise de son art en fonction des circonstances. On a vu se répandre l'idée dans différents secteurs professionnels, de sorte que le portfolio prend maintenant différentes formes : le réalisateur de publicités télévisées à la recherche de contrats y insérera un montage d'extraits d'enregistrements vidéo, le jeune écrivain y gardera une collection de différents poèmes, d'extraits de romans et de critiques littéraires, l'enseignant dont on doit évaluer le travail y versera un dossier contenant des lettres d'appréciation, des copies de textes d'élèves, des photos et, surtout, du matériel pédagogique qu'il a conçu, l'architecte immigrant qui veut être reconnu dans la profession y mettra un recueil de plans, de devis et de photos d'environnements qu'il a conçus, etc.

7.4.1 La construction du portfolio

Au début des années 1990, plusieurs chercheurs en éducation (Arter et Spandel, 1992 ; Paulson, Paulson et Meyer, 1991) ont proposé que les élèves, à la manière des artistes, puissent produire leur portfolio pour montrer les apprentissages réalisés. Dans ce contexte, on définit le portfolio (que certains appellent aussi « dossier d'apprentissage ») comme un ensemble de pièces choisies par l'élève, selon certains critères, pour illustrer ses efforts, ses progrès ou ses capacités dans une ou plusieurs matières. En plus de l'existence de certaines balises pour guider l'élève, un élément fondamental distingue le portfolio scolaire de celui de l'artiste : le portfolio doit inclure une trace de la réflexion de l'élève relativement à sa construction. On doit voir comment les pièces ont été choisies, pourquoi elles sont jugées les plus représentatives, comment elles pourraient être améliorées. Se dessine alors une conception différente de l'évaluation, où l'on respecte les principes dont nous avons traité dans la première partie de ce chapitre. En effet, comme la décision d'inclure ou non une pièce dans le portfolio appartient à l'élève, celui-ci doit recourir à l'autoévaluation afin de déterminer si ses productions sont assez bonnes et pertinentes pour être intégrées dans son portfolio. Cela suppose aussi que les consignes relatives à la construction du portfolio devront être accompagnées de critères d'évaluation. Ces critères auront fait l'objet d'une discussion entre l'enseignant et ses élèves. Ces critères peuvent être présentés dans une grille d'appréciation qui guide l'élève et qui peut même être jointe à la pièce à insérer dans le portfolio. Dans la plupart des cas, l'élève aura à confronter sa propre évaluation avec la rétroaction que lui aura donnée l'enseignant en se référant aux critères convenus. On peut même amener l'élève à tenir compte de la rétroaction des autres élèves sur les pièces qui sont susceptibles de se trouver dans son portfolio. La construction du portfolio devient alors l'occasion pour l'élève d'exercer son jugement critique par rapport à ses productions en prenant en considération d'autres regards que le sien.

La démarche de construction du portfolio n'a de sens que si l'élève peut y intégrer des productions d'une certaine complexité. Il y a assez peu d'intérêt, par exemple, à insérer dans un portfolio un exercice mécanique sur la conjugaison des verbes. Par contre, un projet (ou l'extrait d'un projet) portant sur une découverte scientifique peut très bien trouver sa place dans un portfolio. Dans ce cas, en plus de travailler à un projet qui peut stimuler son intérêt, l'élève a le sentiment d'exercer un certain contrôle. Il peut espérer éviter l'échec du simple fait qu'il a la liberté de ne pas intégrer un projet dont il ne serait pas satisfait. On constate là l'effet que peut avoir la démarche de construction du portfolio sur le plan de la motivation.

On pourrait penser que la transposition de l'idée originale du portfolio dans le cadre de l'évaluation des apprentissages aurait été plus facile dans le contexte de la formation aux adultes ou de l'enseignement supérieur. Pourtant, c'est au primaire surtout, et dans une moindre mesure au secondaire, qu'on a parlé de portfolio. On pourrait, par ailleurs, penser que le principe du portfolio aurait été surtout appliqué dans des disciplines artistiques. Or, il semble bien que la compétence à écrire soit la compétence privilégiée. Toutefois, par l'analyse des productions écrites des élèves, il devient possible d'évaluer plusieurs compétences disciplinaires (selon les thèmes retenus) et plusieurs compétences transversales. Un des intérêts du portfolio est aussi que l'élève et son enseignant sont amenés à analyser la démarche de construction, ce qui suppose qu'on compare différents états du portfolio dans son évolution et que l'on obtienne des informations sur les stratégies qui sont mises en œuvre au cours de la construction. De ce point de vue, le jugement qui est porté ne concerne pas uniquement le produit, c'est-à-dire les pièces qui se trouvent dans le portfolio, mais également le processus, c'est-à-dire la façon dont sont mobilisées les ressources pour réaliser et sélectionner ces pièces.

Puisque l'élève doit choisir les pièces qui figureront dans son portfolio, celui-ci se distingue d'une simple chemise où l'on trouve en vrac tout ce que l'élève a pu faire. L'établissement de critères clairs pour évaluer les pièces permet d'éliminer des pièces peu pertinentes. Pour éviter les surprises et, surtout, s'assurer que le portfolio est un échantillon représentatif de ce qui a été fait en classe, il est important que sa construction soit bien encadrée par des directives précises sur la nature et le nombre des pièces à inclure. Par exemple, pour un portfolio en anglais langue seconde à la fin du primaire, on pourrait donner la directive suivante :

« Ton portfolio devra comprendre :

- un article de journal accompagné d'un résumé de quinze lignes ;

- un courriel d'une vingtaine de lignes adressé à un ami et traitant d'un événement particulier qui aura lieu prochainement ;

- une entrevue d'une page, accompagnée d'une photo, avec une personne de ton choix ;

- le récit d'un accident (environ 150 mots). »

Chaque pièce peut correspondre à un type de tâches qui ont été faites en classe et pour lesquelles il existe un certain nombre de productions parmi lesquelles l'élève peut choisir. En général, on lui demande de choisir celle qu'il juge la meilleure, mais il peut aussi être intéressant, à l'occasion, de lui demander de choisir également celle qu'il juge la pire et de l'inviter à la comparer à la meilleure.

Il va sans dire qu'avec l'accès de plus en plus facile aux ordinateurs et le développement d'environnements interactifs et multimédias, on doit considérer sérieusement l'utilisation des outils technologiques pour construire le portfolio. Outre la possibilité d'utiliser les TIC pour produire des pièces (par exemple, un traitement de texte pour produire un texte, un chiffrier pour résoudre un problème mathématique ou un logiciel de musique pour créer une pièce musicale), il faut de plus en plus compter sur la possibilité d'utiliser les TIC pour organiser et présenter les pièces du portfolio. La Société GRICS (http://www.grics.qc.ca) offre, par exemple, un environnement qui permet la réalisation de portfolios électroniques. Par ailleurs, l'utilisation des environnements courants de bureautique permet d'effectuer facilement beaucoup des opérations essentielles à la réalisation du portfolio : échange de documents avec l'enseignant ou les pairs, accès à des ressources documentaires, addition et retrait de certaines pièces, intégration d'images, etc. Le portfolio peut même se présenter comme une page Web où des liens sont établis entre les différents éléments qui le composent.

7.4.2 L'utilisation du portfolio

Lorsqu'il a été proposé initialement, le portfolio apparaissait comme une solution de rechange intéressante aux épreuves standardisées. Le tableau 7.2, inspiré des travaux de Tierney, Carter et Desai (1991), montre comment le portfolio propose une vision de l'évaluation diamétralement opposée à celle issue des épreuves officielles à grande échelle.

Tableau 7.2   Les différences entre le portfolio et l'examen standardisé

Portfolio	Examen standardisé
Représente la complexité de la lecture et de l'écriture à laquelle les élèves doivent faire face.	Évalue les élèves par des tâches de lecture et d'écriture qui ne correspondent pas à ce qu'ils font.
Engage les élèves dans l'évaluation de leur progrès et de leurs réalisations, et établit de façon continue des buts d'apprentissage.	Est corrigé mécaniquement par des enseignants qui ont peu d'influence sur le processus.
Privilégie une approche collaborative de l'évaluation.	Ne favorise pas un processus d'évaluation collaboratif.
Évalue le rendement de chaque élève en tenant compte des différences individuelles.	Évalue tous les élèves par rapport aux mêmes dimensions.
Se donne comme but l'autoévaluation de l'élève.	N'intègre pas l'autoévaluation.
Prend en considération le progrès, les efforts et le rendement des élèves.	Se limite au rendement de l'élève.
Relie l'évaluation et l'enseignement à l'apprentissage.	Isole l'apprentissage, l'évaluation et l'enseignement.

Source : Adapté de Tierney, Carter et Desai (1991).

De façon générale, les raisons qui peuvent amener des enseignants à utiliser le portfolio sont les cinq suivantes.

1. **Améliorer la validité.** Le gain en validité tient surtout au fait qu'on privilégie la réalisation de tâches complexes et contextualisées dont le produit est susceptible d'être intégré au portfolio (évaluation authentique).

2. **Informer les divers intervenants.** L'examen du portfolio permet à la personne qui le consulte de voir directement ce que peut faire un élève sans devoir interpréter un score. Le portfolio peut être montré à des parents, à un enseignant du cycle supérieur ou même à un employeur éventuel, chacun l'examinant de son propre point de vue.

3. **Rendre compte du progrès.** Comme le portfolio est un objet qui accompagne l'élève au cours de ses apprentissages, il est possible d'adopter une perspective longitudinale (interprétation dynamique) et de suivre l'élève dans son cheminement.

4. **Motiver les élèves.** La plupart des enseignants qui utilisent le portfolio peuvent témoigner de l'intérêt que suscite sa construction auprès des élèves; le portfolio apparaît donc comme une solution quant au manque de motivation dont font preuve les élèves dans la réalisation d'activités plus traditionnelles.

5. **Développer la métacognition.** Comme nous l'avons vu, la construction du portfolio implique l'exercice d'un jugement critique de l'élève sur ses productions; de plus, la nécessité de laisser des traces de sa réflexion donne un caractère plus systématique à cette dernière.

La réflexion des élèves doit être induite par des questions pertinentes. Mitchell (1992) suggère quelques questions afin d'amener les élèves à réfléchir sur les pièces qu'ils intègrent dans leur portfolio.

- En quoi ce document se distingue-t-il des autres que tu as produits auparavant ?
- Quelles sont, selon toi, les qualités de ce travail ?
- Qu'est-ce qui était particulièrement important quand tu l'as fait ?
- Qu'as-tu appris en le faisant ?
- Si tu le retravaillais, comment l'améliorerais-tu ?
- Quel type de documents aimerais-tu produire à l'avenir ?
- Quels aspects voudrais-tu approfondir ?

La démarche prend tout son sens lorsque l'élève peut montrer fièrement son portfolio. Cela peut se faire à l'occasion d'un changement d'enseignant, lorsque l'élève passe d'un cycle à l'autre, par exemple. Cela peut aussi se faire à l'occasion d'une exposition de portfolios, où les élèves des autres classes peuvent les voir. Les parents peuvent aussi être invités à examiner le portfolio de leur enfant de même que ceux de ses pairs.

La comparaison qu'on trouve dans le tableau 7.2 (p. 140) entre le portfolio et l'examen standardisé a paru à un moment où, aux États-Unis, la nouveauté du portfolio en avait fait un objet à la mode plein de promesses. On croyait alors que le portfolio pouvait servir à des décisions de certification et devenir ainsi le concurrent des épreuves à enjeux critiques. Quelques États américains ont même, par la suite, décidé d'utiliser des portfolios comme épreuves officielles. Même s'il est possible d'améliorer la fidélité des évaluations à l'aide du portfolio (Le Mahieu, Gitomer et Eresh, 1995), des recherches comme celles de Koretz, Stecher, Klein et McCaffrey (1994) et de Stecher et Herman (1997) ont montré que cette fidélité est souvent douteuse. Il arrive souvent, en effet, que deux correcteurs donnent des appréciations très divergentes du même portfolio. On peut sans doute arguer que ces écarts correspondent à ce qu'on trouve dans la réalité lorsque différentes personnes portent un jugement sur un objet créé par quelqu'un d'autre. Cette situation n'en est pas moins préoccupante, car elle peut poser de sérieux problèmes d'équité dans une situation de certification. Par contre, l'expérimentation du portfolio à des fins de régulation des apprentissages (Jalbert, 1998, pour le Québec; Simon et Forgette-Giroux, 2003, pour l'Ontario) montre qu'il s'agit là d'un outil très efficace pour assurer la continuité entre l'apprentissage et l'évaluation. La démarche de construction du portfolio est autant une occasion d'apprentissage qu'un instrument de régulation.

Au problème de fidélité que nous avons mentionné, s'ajoutent d'autres limites dont il faut tenir compte dans l'utilisation du portfolio.

1. **Les compétences évaluables.** Le portfolio se prête particulièrement bien à l'évaluation des compétences dont on peut inférer le développement en fonction de performances écrites. Cependant, il est plus compliqué d'intégrer dans un portfolio la démonstration de compétences qui ne se manifestent pas toujours de cette manière.

2. **L'accent sur des habiletés de présentation.** Il suffit de se rappeler le portfolio de l'artiste pour se rendre compte à quel point la constitution d'un portfolio active des stratégies de présentation, c'est-à-dire des habiletés davantage liées à la forme qu'au contenu. On peut s'interroger sur les effets à long terme que pourrait prendre une importance démesurée accordée à ces aspects.

3. **Le temps consacré au portfolio par les enseignants.** Même si l'on peut imaginer des situations où l'utilisation du portfolio allège le travail de l'enseignant, qui n'a pas nécessairement à faire une correction minutieuse de toutes les productions des élèves, il n'en reste pas moins que, dans la plupart des situations, le recours au portfolio requiert un investissement de temps supérieur puisqu'il faut multiplier les messages de rétroaction et gérer des objets multiformes.

La transmission des résultats de l'évaluation

8

Nous avons vu dans le premier chapitre que la démarche d'évaluation doit comprendre une étape qui consiste à communiquer les résultats aux personnes concernées. Sans communication des résultats, inutile d'évaluer. De la même façon qu'on peut trouver des instruments qui ont pour fonction spécifique de recueillir des données (les instruments de mesure, par exemple), on trouve des instruments qui ont pour fonction spécifique de communiquer des résultats. C'est, entre autres, le cas du bulletin.

Nous avons présenté au chapitre 4 un document servant à baliser les pratiques évaluatives des professionnels de l'enseignement (Comité consultatif mixte, 1993). Dans ce document, on formule deux principes en ce qui a trait à la communication des résultats de l'évaluation :

1. les procédés pour faire la synthèse et l'interprétation des résultats devraient mener à des représentations justes et instructives de la performance d'un élève en relation avec les buts et les objectifs d'apprentissage pour la période visée ;

2. les rapports d'évaluation devraient être clairs, précis et avoir une valeur pratique pour les personnes à qui ils s'adressent.

8.1 Les différents destinataires

Une des règles de l'art de la communication efficace est que le moyen et le langage utilisés doivent être adaptés aux destinataires. Plusieurs acteurs sont visés ici. Par ailleurs, quand on pense à la transmission des résultats de l'évaluation, on pense surtout au bulletin ou au relevé de notes. Ce n'est cependant pas la seule forme de communication.

8.1.1 L'élève

Il ne faut jamais perdre de vue que la principale personne concernée reste l'élève. Sauf pour ce qui est de l'évaluation à des fins de pilotage de système, c'est l'élève qui se trouve au centre de l'évaluation. Cela est particulièrement vrai lorsqu'il est question de régulation puisque celle-ci vise à ajuster la situation de l'enseignement et de l'apprentissage en fonction des besoins particuliers des élèves. En régulation, une bonne partie de la communication s'effectue dans le cadre de la rétroaction que donne l'enseignant à l'élève. Il est important que cette rétroaction soit positive sans être complaisante : il faut souligner les bons coups de l'élève afin qu'il ne se décourage pas. La rétroaction doit aussi être personnalisée, c'est-à-dire qu'elle doit tenir compte des besoins, des talents, des attitudes et des acquis de chaque élève. La rétroaction doit aussi servir à fixer des buts personnels et à suggérer à l'élève des moyens de les atteindre.

Le bulletin s'adresse tout autant à l'élève qu'aux parents, même si, au Québec, ce sont ces derniers qui le reçoivent, du moins aussi longtemps que l'élève n'a pas atteint l'âge de la majorité. Que ce soit en cours de cycle ou comme bilan à la fin d'un cycle, le bulletin sert à faire le point sur les apprentissages et il ne devrait pas réserver de surprises à l'élève si une rétroaction a été fournie de façon continue.

8.1.2 L'équipe cycle et l'équipe école

Le MEQ s'est inspiré de plusieurs autres systèmes éducatifs en instaurant une organisation par cycles et en proposant un programme qui favorise l'intégration des matières et le développement de compétences transversales. Dans ce contexte, la concertation entre les enseignants apparaît plus que jamais indispensable. La communication en ce qui a trait à l'évaluation des apprentissages est fondamentale dans cette concertation. La préparation du bulletin doit être vue par les membres de l'équipe cycle comme une occasion d'échanger sur les apprentissages des élèves. Ces échanges sont essentiels pour que les enseignants des différentes disciplines et les spécialistes puissent intervenir de façon efficace et cohérente. On peut difficilement imaginer établir un plan d'intervention individualisé sans partager les résultats de l'évaluation. Il est donc important de prévoir des moments où ces échanges pourront avoir lieu. Par ailleurs, la préparation du dernier bulletin d'un cycle est l'occasion de dresser le bilan des apprentissages des élèves. Il s'agit alors non seulement de prendre des décisions relativement au passage d'un cycle à l'autre, mais aussi, et surtout, de fournir aux intervenants du cycle suivant une information juste et utile sur les élèves qu'ils accueilleront. Que le bilan soit intégré au bulletin ou soit un objet différent importe peu ; ce qui compte, c'est qu'on y trouve l'information nécessaire pour assurer la continuité d'un cycle à l'autre. De ce point de vue, des remarques complémentaires peuvent être précieuses.

Il existe depuis longtemps, dans beaucoup de systèmes scolaires européens, une tradition de « conseils de classe ». Ces conseils regroupent les enseignants des différentes disciplines du secondaire. Bien menées, de telles réunions peuvent s'avérer très utiles pour discuter des cas particuliers, partager les résultats des évaluations, prendre des décisions quant au cheminement de l'élève et, s'il y a lieu, revoir les plans d'intervention individualisés.

8.1.3 Les parents

Dans une recherche sur les problèmes que connaissent les enseignants en début d'exercice, Vennman (1984) constate qu'au-delà des problèmes de gestion de classe, les deux aspects de la profession qui inquiètent le plus les jeunes enseignants sont les relations avec les parents et l'évaluation des apprentissages. On comprend alors les préoccupations des enseignants du primaire et du secondaire quand vient le temps de transmettre les résultats de l'évaluation aux parents. Évidemment, le bulletin est le moyen privilégié pour communiquer avec les parents, mais il comporte des limites importantes. Les soirées de remise de bulletins permettent de préciser et de nuancer ce qui apparaît dans le bulletin et de convenir d'une stratégie commune pour favoriser l'apprentissage. À cet égard, il faut inciter les élèves à participer à ces rencontres. Par ailleurs, il faut aussi prévoir d'autres façons de communiquer avec les parents. Le nouveau régime pédagogique du Québec stipule d'ailleurs que d'autres formes de communication que le bulletin doivent être employées au cours de l'année. Il peut s'agir, par exemple, de brefs rapports écrits qui font la synthèse des jugements que porte l'enseignant, de coups de fil à la maison, d'échanges par le truchement de l'agenda ou de l'examen du portfolio. Dans les rapports avec les parents relativement à l'évaluation des apprentissages de leur enfant, il est important de garder à l'esprit les éléments suivants :

- le parent s'intéresse davantage à son enfant qu'à l'ensemble de la classe ;

- le parent s'est créé des représentations de l'évaluation en fonction de ses propres expériences à l'école ;

- le parent cherche le plus souvent à situer son enfant par rapport aux autres ;

- le parent se sent lui-même évalué à travers l'évaluation des apprentissages de son enfant ;

- le parent porte des jugements en fonction de ce qu'il observe à la maison ;

- le parent se sent parfois impuissant et dépassé pour ce qui est du soutien qu'il peut apporter, sur le plan de l'éducation, à son enfant ;

- le parent est dans la situation ambiguë d'un client (demandeur de service) et d'un partenaire (coresponsable de l'éducation de son enfant) ;

- comme tout le monde, le parent a ses opinions sur l'éducation, mais il ne maîtrise ni les concepts ni le jargon des spécialistes du domaine ;

- les parents sont très différents sur le plan de leur engagement par rapport à la réussite de leurs enfants à l'école.

Dans ce contexte, il est important de tenter, dans la mesure du possible, d'associer les parents comme partenaires, dans l'éducation des enfants, et d'adapter le discours en fonction de leurs besoins et de leurs perceptions.

8.1.4 Les autres intervenants

Il faut toujours tenir compte des acteurs pour qui les résultats de l'évaluation sont utiles. Dans un contexte où l'imputabilité est importante, on doit s'attendre à ce que les résultats de l'évaluation servent à déterminer dans quelle mesure le système éducatif atteint ses finalités. Qu'un organisme public comme un ministère de l'Éducation, un gouvernement ou une association de parents demande aux écoles de démontrer qu'un usage judicieux est fait de leurs ressources apparaît légitime. Cela l'est d'autant plus dans un contexte de réforme où il faut éviter les dérapages et effectuer les corrections nécessaires sans trop attendre. Il faut cependant rappeler que les instruments qui sont alors utilisés sont conçus différemment et que les méthodes d'échantillonnage deviennent très importantes puisque ce ne sont plus les résultats d'un élève en particulier qui importent, ni même ceux d'un petit groupe d'élèves. Ce type d'instruments, qui est utilisé dans les enquêtes comparatives comme celles de l'OCDE (http://www.pisa.oecd.org/) au niveau international et du projet PIRS du Conseil des ministres de l'Éducation du Canada (http://www.cmec.ca/saip/indexf.stm), est donc bien différent du type d'instruments utilisé par l'enseignant pour évaluer ses élèves.

Il faut être vigilant pour éviter une utilisation abusive des résultats de l'évaluation. C'est ce qui risque de se passer lorsque, par exemple, des résultats à des épreuves officielles sont utilisés comme seule source d'information pour porter des jugements sur des écoles ou même des enseignants, sans tenir compte des éléments contextuels.

Les résultats de l'évaluation sont aussi pris en compte dans le passage d'un ordre d'enseignement à un autre. On connaît le débat social que pose l'utilisation des résultats scolaires du primaire comme base d'admission dans certaines écoles secondaires privées ou même publiques (Blais et autres, 2001). Dans ce cas, c'est la fonction de sélection de l'évaluation qui s'exerce. On peut certes s'interroger sur la pertinence d'une évaluation à des fins de sélection dans l'enseignement de base, particulièrement dans un contexte de scolarité obligatoire. Par contre, on y échappe difficilement quand il s'agit de l'accès à des programmes spécialisés ou à l'enseignement supérieur.

C'est pourquoi les établissements d'enseignement supérieur développent des procédures d'admission qui tiennent compte des résultats de l'évaluation des apprentissages. Aux États-Unis, on recourt systématiquement à des épreuves standardisées comme le SAT pour effectuer la sélection. Dans le cas des universités québécoises, on préfère prendre comme source d'information les résultats scolaires (de la fin du secondaire et du collégial) pour calculer une cote de rendement. Cette cote situe les résultats sur une échelle commune et les pondère en fonction des variations qu'on observe dans le rendement à l'université d'élèves provenant de différents collèges.

Les employeurs éventuels sont également des destinataires des résultats de l'évaluation. Dans bien des cas, il suffit d'une simple attestation de réussite (un diplôme ou un certificat). Par contre, les candidats à la recherche d'un emploi ont souvent intérêt à fournir une information plus nuancée sur leurs compétences. Un relevé de compétences (nous discuterons de cette notion un peu plus loin) ou même un portfolio peuvent alors être utiles.

8.2 Les échelles de niveau

Comme nous l'avons déjà vu, la plupart des programmes par compétences décrivent la façon dont se manifestera une compétence si l'élève la développe au niveau attendu. Dans le nouveau curriculum du ministère de l'Éducation du Québec (2001 ; 2003a), cela correspond aux attentes de fin de cycle. Il s'agit de quelques paragraphes qui décrivent ce que devrait faire l'élève à la fin de chaque cycle. Plusieurs auteurs ont insisté sur l'importance de préciser de façon claire et concise ce qu'on doit attendre à différents moments stratégiques du parcours de formation, et de s'assurer que ces attentes conviennent à tous les intervenants. Aux États-Unis, les attentes ont généralement pris la forme de standards (Schmoker et Marzano, 1999). Cette approche tend à se répandre également en Europe, et ce, dans un contexte où le concept de compétences est de plus en plus présent (Klieme et autres, 2004).

On peut considérer les attentes de fin de cycle comme l'échelon d'une échelle descriptive qui correspondrait à la cible visée. Cela signifie qu'en deçà de ce niveau, on trouverait des échelons correspondant à ce que peut faire un élève qui a atteint partiellement cette cible, ou qui ne l'a pas atteinte. On pourrait aussi trouver un échelon qui décrirait ce que peut faire un élève qui a dépassé les attentes. Le tableau 8.1 (page suivante) montre une échelle qui a été élaborée par le MEQ (2002) pour la compétence « Écrire des textes variés » au primaire. Les échelons ne couvrent pas l'ensemble du programme du primaire du MEQ (l'exemple ne reproduit que les échelons qui concernent le deuxième cycle), mais font ressortir ce qui est typique de la performance observée à différents niveaux. Grâce à cette échelle, l'enseignant peut indiquer,

Tableau 8.1   L'échelle des niveaux pour la compétence « Écrire des textes variés » au deuxième cycle du primaire

Échelon	DESCRIPTION
5	L'élève rédige des textes simples, de longueurs variables, pour répondre à diverses intentions, et ce, dans des contextes de plus en plus variés. Avec de l'aide, il choisit les idées appropriées et les organise de manière logique ou chronologique. Ses phrases, généralement bien construites, sont délimitées par la majuscule et le point. À l'occasion, il a recours à quelques connecteurs simples pour relier les phrases entre elles. Son vocabulaire simple et courant se diversifie. De plus, il sait orthographier les mots appris en classe et il effectue les accords du déterminant et de l'adjectif avec le nom, dans la plupart des cas simples. Avec de l'aide, il a recours à quelques stratégies et commence à utiliser des outils de référence. Il calligraphie lisiblement et utilise l'écriture script ou cursive, selon le projet.
6	L'élève rédige des textes variés, parfois un peu élaborés, pour répondre à diverses intentions, et ce, dans différents contextes et disciplines scolaires. Ses idées sont souvent regroupées et ordonnées de manière logique ou chronologique. Ses phrases sont parfois longues et assez bien construites, malgré certaines maladresses dans l'utilisation des connecteurs. En plus de recourir à la majuscule et au point, il utilise la virgule dans les cas d'énumération simple. Son vocabulaire est assez varié et généralement correct. Il sait orthographier un bon nombre de mots d'usage fréquent et effectue les accords dans le groupe du nom, ainsi que l'accord du verbe avec son sujet dans les cas les plus simples. Il utilise quelques stratégies et consulte des outils de référence mis à sa disposition. Il calligraphie lisiblement et utilise facilement l'écriture script ou cursive, selon le projet.
7	L'élève rédige des textes variés, souvent assez élaborés, dans différents contextes et disciplines scolaires. Ses textes comportent généralement plusieurs idées ordonnées de manière logique ou chronologique à l'intérieur d'un paragraphe ou de quelques courts paragraphes qui ne sont pas nécessairement reliés entre eux. Ses phrases, souvent longues mais peu variées, sont parfois reliées à l'aide de connecteurs courants et elles tiennent généralement compte des éléments de syntaxe et de ponctuation vus en classe. L'élève utilise un vocabulaire varié, correct et parfois précis. Il sait orthographier la plupart des mots d'usage fréquent et il effectue l'accord du déterminant et de l'adjectif avec le nom et l'accord du verbe avec son sujet dans les cas simples. Il recourt à plusieurs stratégies et consulte divers outils de référence mis à sa disposition. Selon la situation de communication, il calligraphie lisiblement en écriture script ou cursive et il utilise occasionnellement un logiciel de traitement de texte.

Source : Ministère de l'Éducation du Québec (2002, p. 24).

globalement, où se situe un élève au regard des attentes de fin de cycle. Chaque échelon représente donc une balise dans la progression de l'élève.

Le modèle d'échelle le plus connu est sans doute le *Standard-Referenced Longitudinal Scale* que proposait Wiggins (1994) pour construire des bulletins qui apportent une information pertinente. Il existe cependant une grande variété de types d'échelle et différentes méthodes pour les élaborer. De façon générale, une échelle de niveaux de compétence doit respecter les exigences suivantes :

- lorsqu'elle est inspirée d'un programme d'étude, elle doit être conforme à ce programme ;

- les éléments retenus doivent être pertinents pour bien décrire le niveau atteint ;

- les descriptions doivent pouvoir être comprises par tous les intervenants de la même manière (enseignants, parents, administrateurs, etc.) ;

- les descriptions doivent être les plus concises possible ;

- l'ensemble des descriptions de chaque échelon doit constituer un tout cohérent ;

- les éléments retenus doivent être observables pour permettre une évaluation globale ;

- on doit pouvoir saisir aisément, à la lecture, ce qui distingue chaque niveau des autres niveaux.

8.3 Le processus de notation

Il convient à ce moment-ci de distinguer deux termes qu'on a parfois tendance à confondre : évaluation et notation. Comme nous l'avons vu, l'évaluation est un processus dont le cœur est le jugement. Par contre, la notation est une opération qui fait partie de l'étape de la communication. La notation consiste à traduire sous la forme d'une note ou d'un autre symbole le jugement de l'évaluateur. Dans la tradition scolaire québécoise, on a longtemps utilisé un pourcentage pour traduire le jugement de l'évaluateur, mais il faut éviter une conception naïve qui consisterait à dire que le pourcentage correspond à la proportion de matière qui est maîtrisée. Ce n'est évidemment pas le seul système de notation qui existe. Ainsi, en France, il est commun d'utiliser un système de 20 points alors qu'aux États-Unis on utilise largement le système littéral (A+, A, ..., F).

La note peut traduire le résultat d'une seule épreuve lorsqu'on communique le score brut ou converti obtenu par un élève ou lorsqu'on exprime un jugement général relativement à la réalisation d'une tâche sur la base des observations consignées dans une grille d'appréciation. La note peut aussi être la synthèse de plusieurs données. Ainsi, la note que l'enseignant indique dans un bulletin ne devrait pas être le score à un seul examen ou à une seule tâche, mais plutôt le fruit de la combinaison de plusieurs informations. De ce point de vue, les notes sont souvent une synthèse à partir de données obtenues sur une période relativement longue (Worthen, White et Sudweeks, 1999).

La combinaison des différentes informations ne va d'ailleurs pas de soi. Il suffit d'évoquer la moyenne générale que les enseignants utilisent encore, parfois. On peut se demander ce que signifie une moyenne qui combine des résultats en sciences, en mathématiques, en français, etc. Que représente cette note, sinon une indication générale de la capacité de l'élève de s'acquitter de tâches scolaires ? Cette interprétation est permise parce qu'on trouve, en général, une corrélation entre les résultats dans diverses disciplines, mais le fait de combiner les résultats de différentes disciplines renseigne peu sur les apprentissages réalisés. De plus, le recours à une moyenne générale suppose qu'on laisse libre cours à un système de compensation qui permet, par exemple, à un élève de contrebalancer des résultats faibles en mathématiques par des résultats forts en français : la note obtenue se compare-t-elle vraiment à celle d'un élève qui aurait eu des résultats moyens dans les deux disciplines ? Dans la logique d'un programme par compétences, chaque compétence représente un construit unique, et l'atteinte du niveau attendu pour une compétence ne signifie pas qu'on puisse inférer qu'il en est ainsi pour les autres. Dans la plupart des cas, quand on veut dresser un bilan ou même délivrer un certificat ou un diplôme quelconque, il est avantageux de présenter un profil qui permet de voir les points forts et les points faibles de l'élève.

On pourrait aussi longuement s'interroger sur cette ancienne pratique qui consistait, à la fin de l'année, à faire la moyenne des différentes moyennes obtenues au cours de l'année. Qu'est-ce que cela signifiait ? La capacité à s'acquitter de tâches scolaires vers la fin de janvier ? Ces exemples montrent les difficultés que pose l'agrégation de différents résultats en vue d'attribuer une note et invitent à une certaine prudence.

8.3.1 Le bulletin

Au Québec, la question du bulletin a suscité des débats parfois houleux. Pendant de nombreuses années, le bulletin se présentait comme une feuille de calcul où l'on rapportait des notes chiffrées relatives à différentes matières à différents moments de l'année. On utilisait ces données pour calculer des moyennes et pour assigner un rang à chaque élève. La politique sur l'évaluation des apprentissages, élaborée au début des années 1980 (Ministère de l'Éducation du Québec, 1981), présentait le concept de l'interprétation critériée et précisait que le bulletin devait fournir une information pertinente sur les progrès des élèves. La politique précisait qu'il fallait émettre cinq bulletins par année et qu'il incombait à chaque commission scolaire de concevoir son bulletin. Au même moment, on implantait de nouveaux programmes dont la formulation reposait sur des objectifs pédagogiques. Les conditions étaient en place pour proposer une nouvelle forme de bulletin que l'on a nommé « bulletin descriptif » (Ministère de l'Éducation du Québec, 1986). Lussier (2001) constate que, 20 ans plus tard, on en est encore à se questionner sur la pertinence des bulletins descriptifs.

Le bulletin descriptif a été conçu pour permettre d'attribuer une note au regard de chaque apprentissage terminal important, note qui est exprimée sous la forme d'un indicateur d'apprentissage. Cette note, habituellement alphabétique, est tirée d'une légende qui situe la performance individuelle par rapport à un seuil (minimal ou maximal) de maîtrise ou qui définit des niveaux sur un continuum d'habileté à réaliser une tâche. Chaque note, pour chaque indicateur (il y en a plusieurs par matière), indique donc le niveau d'apprentissage atteint, par chaque élève, relativement à un contenu spécifique du programme. Dans ce contexte, on peut penser que l'enseignant qui inscrit **B** (pour indiquer « facilement » ou « bien ») en regard de l'indicateur « L'enfant choisit les informations nécessaires selon les exigences de la situation de communication » adopte une interprétation critériée des mesures et des observations dont il dispose. Le parent qui prend connaissance du bulletin apprend ainsi que la maîtrise que son enfant a de cette habileté se situe bien au-dessus du seuil minimal de performance, même s'il ignore en quoi consiste ce seuil. L'expérience du bulletin descriptif a montré, après quelques années, que la plupart des indicateurs sont inaccessibles (surtout aux parents) et que la signification donnée aux légendes est très subjective (Fréchette et Munn, 1987). De plus, le parent ignore si, globalement, son enfant est meilleur ou pire que les autres, à moins que l'enseignant ne lui fournisse des indices sur le rendement d'ensemble de la classe. Il continue cependant de penser que la position que son enfant occupe par rapport à celle des autres élèves aura éventuellement une influence sur son avenir.

C'est dans ce contexte que la plupart des commissions scolaires ont fini par adopter un bulletin de type descriptif au primaire, mais qu'elles hésitent à le faire pour le secondaire. Les changements législatifs apportés dans le cadre de la réforme, et la décentralisation qui en découle, ont fait que les écoles sont devenues responsables de la conception du bulletin. Cependant, étant donné les difficultés prévisibles, la plupart ont opté pour le modèle fourni par leur commission scolaire. Les figures 8.1 et 8.2 suivantes montrent les bulletins qui sont proposés par la Commission scolaire de Montréal.

Figure 8.1 Le bulletin suggéré par la Commission scolaire de Montréal pour le primaire

BULLETIN SCOLAIRE
PRIMAIRE

Commission scolaire de Montréal

2e cycle, année supplémentaire

	ÉVALUATION		
PÉRIODES	1	2	3
NOMBRE DE JOURS D'ABSENCE	4,0	0,5	7,5

	1	2	3
Compétences transversales			
Ordre intellectuel			
Exploiter l'information			
Résoudre des problèmes			
Exercer son jugement critique			
Mettre en oeuvre sa pensée créatrice		B	
Ordre méthodologique			
Se donner des méthodes efficaces de travail			
Exploiter l'informatique comme outil méthodologique			
Ordre personnel et social			
Développer son identité personnelle			
Travailler en coopération	B		
Ordre de la communication			
Communiquer de façon appropriée			B
Compétences disciplinaires			
Français			
Lire des textes variés	C	C	C
Écrire des textes variés	C	C	C
Communiquer oralement		A	
Apprécier des oeuvres littéraires			B
Mathématique			
Résoudre des problèmes mathématiques	C		C
Déployer un raisonnement mathématique		C	C
Communiquer à l'aide du langage mathématique		C	
Anglais langue seconde			
Interagir oralement en anglais			B
Réinvestir sa compréhension de textes lus et entendus			
Écrire des textes			
Sciences et technologie			
Proposer des explications ou des solutions à des problèmes d'ordre scientifique ou technologique		B	
Mettre à profit les outils, objets et procédés de la science et de la technologie			
Communiquer à l'aide des langages utilisés en sciences et technologie			
Géographie, histoire et éducation à la citoyenneté			
Lire l'organisation d'une société sur son territoire			
Interpréter le changement dans une société et sur son territoire		B	
S'ouvrir à la diversité des sociétés et leur territoire			
Éducation physique et à la santé			
Agir seul dans divers contextes d'activités physiques		NE	B
Agir avec d'autres dans divers contextes d'activités physiques		B	B
Adopter un mode de vie sain et actif		NE	C
Formation personnelle			
Enseignement moral			
Formation personnelle			
Enseignement moral et religieux catholique			
Formation personnelle			
Enseignement moral et religieux protestant			
Musique			
Inventer des pièces vocales ou instrumentales			
Interpréter des pièces musicales			
Apprécier des oeuvres musicales, ses réalisations et celles de ses camarades			
Arts plastiques			
Réaliser des créations personnelles		B	
Réaliser des créations qui visent un destinataire			
Apprécier des créations personnelles, médiatiques et du patrimoine artistique			
Comportement			
Comportement			
Votre enfant respecte les règles de vie établies par l'école ou la classe	A	A	A

FORMATIVE				BILAN - FIN
4	5	6	7	DE CYCLE
2,0	1,0			
	B			
B				
	B			
	B			
B	B			
B				
B	C			
B				
B				
B		B		
B				
B		A		
B		A		
C				
A	A			

<table>
</table>

ANNÉE SCOLAIRE	DATE D'ÉMISSION		PAGE: 1

NOM ET PRÉNOM DE L'ÉLÈVE

N° DE FICHE	CODE PERMANENT	DATE DE NAISSANCE	ÂGE AU 30 SEPT.

Téléphone: Répondant: Mère

NOM ET ADRESSE DE L'ÉCOLE	N° D'ÉCOLE

DIRECTION	TÉLÉPHONE

ENSEIGNANT(E) RESPONSABLE	GROUPE REPÈRE

MESSAGE

LÉGENDE - ÉVALUATION

1- ÉVALUATION EN COURS D'APPRENTISSAGE *(périodes 1 à 7)*
- A Votre enfant progresse au-delà des attentes
- B Votre enfant progresse selon les attentes
- C Votre enfant progresse avec difficulté
- D Votre enfant a peu progressé
- NE Non évalué

2- BILAN DE FIN DE CYCLE *(période 8)*
Selon les exigences des programmes:
- 1 Compétence développée de façon remarquable
- 2 Compétence développée
- 3 Compétence à parfaire
- 4 Compétence non acquise

3- COMPORTEMENT DE VOTRE ENFANT

A - Satisfaisant   B - Amélioration souhaitée   C - Difficulté marquée

AVIS DE TRANSFERT

Votre enfant a quitté notre école le _____ᵉ jour du mois de _____ 20_____

AVIS DE PROMOTION - PROGRESSION DE L'ÉLÈVE À LA FIN DU CYCLE

Votre enfant...   · poursuit au cycle suivant
                          · demeure dans le cycle
                          · _____

SIGNATURE DE L'ENSEIGNANT(E)	SIGNATURE DE LA DIRECTION DE L'ÉCOLE

SIGNATURE DU PARENT OU DE LA PERSONNE RESPONSABLE	DATE

Figure 8.2   Le bulletin suggéré par la Commission scolaire de Montréal pour le secondaire

PLIER ICI ▶ OU ▶

Commission scolaire
de Montréal

ÉCOLE:

BULLETIN SCOLAIRE (SECONDAIRE)

DIRECTEUR:

SIGNATURE DU DIRECTEUR

LÉGENDES	
RÉSULTATS SCOLAIRES	**EFFORT**
A : DÉPASSE LES EXIGENCES FIXÉES	1 : EXCELLENT
B : RÉPOND AUX EXIGENCES FIXÉES	☐ : SATISFAISANT
C : ÉPROUVE UN PEU DE DIFFICULTÉ À RÉPONDRE AUX EXIGENCES FIXÉES	2 : À AMÉLIORER
D : ÉPROUVE BEAUCOUP DE DIFFICULTÉ À RÉPONDRE AUX EXIGENCES FIXÉES	**CHEMINEMENT SCOLAIRE**
	1 : L'ÉLÈVE SUIT UN PROGRAMME SCOLAIRE ENRICHI.
F : NE RÉPOND PAS AUX EXIGENCES FIXÉES	2 : L'ÉLÈVE SUIT UN PROGRAMME RÉGULIER DE LANGUE D'ENSEIGNEMENT
AD : ABANDON	OU DE MATHÉMATIQUE DANS LE CADRE D'UN CHEMINEMENT PARTICULIER.
CT : CENT ou 100%	3 : L'ÉLÈVE SUIT UN PROGRAMME DE RÉCUPÉRATION DE NIVEAU PRIMAIRE
NE : PAS D'ÉVALUATION POUR CETTE PÉRIODE	DANS LE CADRE D'UN CHEMINEMENT PARTICULIER.
EXAMENS CSDM	4 : L'ÉLÈVE SUIT UN PROGRAMME RÉGULIER.
AB : ABSENT	5 : L'ÉLÈVE SUIT UN PROGRAMME D'INSERTION SOCIALE ET DE
AM : ABSENCE MOTIVÉE	PRÉPARATION AU MARCHÉ DU TRAVAIL.
AN : ANNULÉ	

MOY. ÉLÈVE : MOYENNE DES NOTES OBTENUES L'ANNÉE DERNIÈRE
N   :   NOMBRE DE NOTES OBTENUES L'ANNÉE DERNIÈRE

								PÉRIODE 1			
					NOTES ANTÉ-RIEURES	BULLETIN PRÉLIMI-NAIRE		FIN DE LA PÉRIODE		MOIS	
CODE DE COURS	GR.	DESCRIPTION	ENSEIGNANT	MOY. ÉLÈVE	N	COTE	AB-SENCES	EFFORT	NOTES ÉLÈVE	MOYENNE GROUPE	ABSENCE

N011 (99-04)

PLIER ICI ▶ OU ▶

CODE PERMANENT M.E.Q.   TÉLÉPHONE   NO DE FICHE

NOM ET PRÉNOM DE L'ÉLÈVE   DATE DE NAISSANCE   REGR.   ÉCOLE   FOYER
AN   MOIS   JOUR

NO TÉL. ÉCOLE:

NOM DE LA MÈRE:

PÈRE, MÈRE OU TUTEUR
LIEN DE PARENTÉ

MESSAGE

DANS LE MÊME COURS NON TERMINÉ.
DANS LE MÊME COURS NON TERMINÉ.

DATE
D'ÉMISSION   AN   MOIS   JOUR

LE MINIMUM REQUIS EST
DE 60% PAR MATIÈRE

UNITÉS PRÉVUES
(4e et 5e) ✳

JOUR	PÉRIODE 2		MOIS	JOUR	PÉRIODE 3		MOIS	JOUR	PÉRIODE 4		MOIS	JOUR	EXAMENS SOMMATIFS		SOMMAIRE				
	FIN DE LA PÉRIODE				FIN DE LA PÉRIODE				FIN DE LA PÉRIODE						—				
EFFORT	NOTES ÉLÈVE	MOYENNE GROUPE	AB-SENCES	EFFORT	NOTES ÉLÈVE	MOYENNE GROUPE	AB-SENCES	EFFORT	NOTES ÉLÈVE	MOYENNE GROUPE	AB SENCES	EFFORT	NOTES ÉLÈVE	MOYENNE GROUPE	NOTES ÉLÈVE	MOYENNE GROUPE	AB-SENCES	RANG 5e	

CHEMINEMENT SCOLAIRE

✳ Confirmation au relevé de notes du MEQ ▲

Ces bulletins ne sont que des exemples qui sont distribués aux écoles du territoire, et ils ne constituent pas une forme de communication imposée. La nouvelle politique sur l'évaluation des apprentissages (Ministère de l'Éducation du Québec, 2003a) indique que le format privilégié pour le primaire restera le bulletin descriptif, mais qu'il est possible d'associer à l'échelle utilisée des fourchettes correspondant à des notes chiffrées (par exemple, 75-80). Le nouveau régime pédagogique va dans le même sens.

8.3.2 Les autres formes de communication

L'application de la politique sur l'évaluation des apprentissages adoptée à l'automne 2003 et les directives du nouveau régime pédagogique ne limitent pas la communication au bulletin. D'une part, on affirme que l'enseignant doit prévoir d'autres formes de communications aux parents : il peut s'agir de rencontres avec les parents, de conversations téléphoniques ou d'autres types d'échanges plus ou moins formels. À cet égard, il convient de rappeler les quatre formes de communication des résultats que distingue Hargreaves (1997).

1. **Le dossier personnel.** Le dossier personnel s'apparente au bulletin traditionnel dans la mesure où il contient des notes chiffrées qui permettent de produire des moyennes ou des médianes et de brefs commentaires qui accompagnent ces notes. Par contre, il intègre des caractéristiques du portfolio, car l'élève le construit lui-même en y insérant des productions et des commentaires dans le but de démontrer ses compétences.

2. **Le profil descriptif.** Le profil dont parle Hargreaves correspond au bulletin descriptif. Il est donc composé d'énoncés généralement associés à une échelle d'appréciation et regroupés selon les matières ou les domaines. Le profil est habituellement établi par l'enseignant, mais l'élève peut aussi établir son propre profil.

3. **La banque de commentaires.** Il s'agit d'une variante du profil descriptif qui est obtenue en sélectionnant une série de commentaires préétablis et rangés dans une banque consultée par l'ensemble des intervenants. On peut choisir à l'ordinateur ceux qui paraissent les plus pertinents. La formulation des commentaires ne variant pas, il est possible de comparer les profils d'élèves provenant des divers établissements qui utilisent la banque.

4. **L'anecdote.** On peut voir cette forme de communication comme une combinaison des trois précédentes. Le rapport anecdotique suppose, de la part de l'enseignant, la rédaction de courts textes qui décrivent les apprentissages réalisés. Ces textes sont organisés en fonction d'une structure qui correspond

aux éléments du programme, et il demeure toujours possible d'illustrer les jugements par des productions de l'élève.

D'autre part, la *Politique d'évaluation des apprentissages* du MEQ prévoit qu'on octroiera aux élèves qui sortiront des écoles secondaires du Québec, après avoir complété ou non les cinq années du secondaire, un relevé de compétences. Ce relevé décrit les apprentissages réalisés par l'élève au regard des compétences du programme du secondaire. Quelle que soit la forme finale du relevé de compétences, on doit y trouver la liste des compétences (dans certains cas, elles pourront avoir été regroupées) associées à une échelle alignée sur les échelles de niveaux du secondaire. Ainsi, un élève pourrait n'avoir atteint que les niveaux élémentaires pour ce qui est des compétences en mathématiques et en sciences et technologie, mais avoir, en contrepartie, atteint la cible pour ce qui est des compétences en univers social et en français. Le relevé de compétences permet de visualiser le profil de cet élève.

Si l'on veut évaluer tous les aspects de l'apprentissage et du développement de l'enfant, il faut effectuer de nombreuses prises d'information au cours de l'année et compiler systématiquement les données de l'observation quotidienne. Il est illusoire de penser qu'on peut juger du développement d'une compétence avec une seule tâche. Pour en arriver à porter un jugement et à noter, l'enseignant doit gérer une grande quantité d'informations. Il lui faut consigner les données recueillies afin de ne pas se heurter, au moment de la notation, aux limites de sa mémoire et à l'imprécision de ses impressions. C'est pourquoi il est important que chaque enseignant tienne un journal de bord afin de disposer d'informations détaillées et organisées sur chacun de ses élèves.

Selon la décision à prendre et la forme de communication retenue, certaines informations du journal de bord se révéleront plus utiles que d'autres. Une chose est certaine : les informations nécessaires pour décider de l'action didactique ou pour gérer une classe ne sont pas les mêmes que celles qui permettent aux parents et aux administrateurs de prendre leurs décisions, même si toutes ont comme source les apprentissages réalisés par l'élève. C'est en insistant sur l'analyse de ces décisions qu'on trouvera la meilleure façon de communiquer les résultats de l'évaluation. Il nous semble, cependant, que les enseignants devraient concentrer leurs efforts sur la communication, même directe, avec les parents des élèves qui en ont le plus besoin et qui en tirent profit, quitte à utiliser une communication plus globale avec les autres.

Conclusion

L'évaluation des apprentissages ne réglera pas tous les problèmes de l'éducation. Cependant, à cause de l'effort d'analyse et de définition qu'elle impose et de la logique qu'elle introduit dans les pratiques, elle contribue à l'amélioration de plusieurs aspects du processus éducatif.

Ce qui a le plus manqué à la philosophie, écrivait Bergson (2003, p. 1253), c'est la précision. On pourrait en dire autant au sujet de la pédagogie. C'est pourquoi la précision que les intervenants apportent dans la définition des objets à évaluer et dans la vérification des résultats de l'apprentissage les aide à mieux connaître les problèmes scolaires et à leur trouver des solutions.

La précision des instruments de mesure doit se faire sentir non seulement dans les évaluations officielles menées à des fins de certification, de classement, de sélection, de bilan et de pilotage, mais également dans les multiples observations qui se font en cours d'apprentissage. Même si la fonction de régulation relève, à certains égards, davantage de la didactique, on ne peut s'empêcher de souligner l'apport vital d'une stratégie systématique de collecte de données et d'une analyse rigoureuse.

Dans cet ouvrage, nous avons vu différentes techniques qui conduisent à des inférences justes sur les apprentissages des élèves et permettent de faire de la démarche d'évaluation autre chose qu'un simple contrôle. Cette démarche est essentielle et fait partie des actions que tout professionnel de l'enseignement doit accomplir. Par ailleurs, la mise en application des principes que nous avons présentés suscitera sans doute certaines interrogations. À cause des exigences engendrées par les nouveaux curriculums et de la complexité des classes, il devient de plus en plus difficile d'appliquer aveuglément des principes, aussi fondés soient-ils. Il est donc important que l'enseignant reste critique par rapport à ses pratiques et reconnaisse les problèmes d'équité que peuvent poser des applications inconsidérées de techniques éprouvées. On ne répétera jamais assez que le jugement de l'enseignant, en tant que professionnel, reste central. Ce jugement se fonde en grande partie sur un processus d'inférence aussi systématique que possible. C'est à cette condition qu'on peut établir le lien entre les deux pôles de l'évaluation : celui de la compétence invisible qui est développée et celui de ses manifestations, qui sont observables.

Nous avons vu que la communauté éducative peut continuer à progresser dans le domaine de l'évaluation des apprentissages en misant sur l'expérience acquise au fil des ans. Cependant, le passé ne peut fournir toutes les solutions pour l'avenir. Dans un ouvrage récent, Scallon (2004) souligne les défis que pose la réorganisation des programmes par compétences et explore certaines solutions. Ces interrogations s'inscrivent dans une remise en question qu'on trouve dans la majorité des systèmes éducatifs occidentaux. Face aux défis qui s'annoncent, un groupe de travail formé de spécialistes réputés aux États-Unis a formulé, à l'occasion du début du présent millénaire, plusieurs recommandations (Pellegrino et autres, 2001). Celles-ci vont dans le sens d'un soutien plus grand à la recherche et à l'expérimentation en fonction de trois orientations différentes.

1. Trouver des techniques efficaces et mieux adaptées pour recueillir les données servant à évaluer.

2. Mettre au point des méthodes permettant d'interpréter d'une manière plus conforme ces données.

3. Approfondir sa compréhension des processus d'apprentissage afin d'adopter des pratiques évaluatives cohérentes.

Il ne fait donc aucun doute que les prochaines années seront déterminantes en ce qui a trait à l'évolution des pratiques évaluatives. Le regard nouveau que les différents intervenants portent sur l'éducation et les espoirs qu'ils entretiennent relativement à la formation de citoyens responsables et compétents les forceront à revoir leurs façons d'évaluer.

Bibliographie

ALDERSON, J.C. (2000). *Assessing Reading*, Cambridge, Cambridge University Press, 398 p.

ALLAL, L. (1979). « Stratégies d'évaluation formative : conceptions psycho- pédagogiques et modalités d'application », dans L. Allal, J. Cardinet et P. Perrenoud, dir., *L'évaluation formative dans un enseignement différencié*, Berne, Peter Lang, p. 130-135.

———— (1993). « Régulations métacognitives : quelle place pour l'élève dans l'évaluation formative ? », dans L. Allal, D. Bain et P. Perrenoud, dir., *Évaluation formative et didactique du français*, Paris, Delachaux et Niestlé, p. 81-98.

———— (1999). « Impliquer l'apprenant dans le processus d'évaluation : promesses et pièges de l'autoévaluation », dans C. Depover et B. Noël, dir., *L'évaluation des compétences et des processus cognitifs*, Paris ; Bruxelles, De Boeck Université, p. 35-56.

AMES, C. (1992). « Achievement goals and the classroom motivational climate », dans D. Schunk et J.L. Meece, dir., *Student Perceptions in the Classroom*, Mahwah (New Jersey), Lawrence Earlbaum, p. 327-347.

ANDERMAN, E.M., et M.L. MAEHR (1994). « Motivation and schooling in the middle grades », *Review of Educational Research*, vol. 64, p. 287-310.

ANDERSON, J.R. (1999). *Cognitive Psychology and its Implications*, 5e éd., New York, W.H. Freeman, 531 p.

ARTER, L., et V. SPANDEL (1992). « Using portfolios of student work in instruction and assessment », *Educational Assessment : Issues and Practice*, vol. 11, n° 1, p. 36-44.

AUGER, R., et M. FRÉCHETTE (1984). *Guide pour la construction d'instruments de mesure dans le cadre de la banque d'instruments de mesure*, Québec, Gouvernement du Québec, Direction de l'évaluation pédagogique, 8 fascicules.

———— (1988). « La définition de domaine, une étape essentielle dans l'élaboration d'un instrument de mesure », *Mesure et évaluation en éducation*, vol. 10, n° 4, p. 5-22.

BANDURA, A. (1986). *Social Foundation of Thought and Action : A Social Cognitive Theory*, Englewood Cliffs, Prentice Hall, 544 p.

BARLOW, M. (1992). *L'évaluation scolaire : décoder son langage*, Paris, Chronique sociale, 229 p.

BECKERS, J. (2003). *Développer et évaluer des compétences*, Paris; Bruxelles, Labor, 275 p.

BERGSON, H. (2003). *La pensée et le mouvement: Essais et conférences*, 15ᵉ éd., Paris, Presses universitaires de France, 1500 p.

BERTRAND, R. (1988). « Pourquoi de nouvelles théories de la mesure ? », *Mesure et évaluation en éducation*, vol. 11, n° 2, p. 5-25.

BLAIS, J.-G., et R. BERTRAND (2004). *Modèles de mesure: l'apport de la théorie de réponses aux items*, Sainte-Foy, Presses de l'Université du Québec, 388 p.

BLAIS, J.-G., F. LAROSE, M. LAURIER, C. LESSARD, C. ROUSSEAU, P. DUPUIS et J.-P. PROULX (2001). « Le Palmarès des écoles secondaires en question », *Mesure et évaluation en éducation*, vol. 22, n° 2, p. 1-20.

BLOOM, B.S., et autres (1969). *Taxonomie des objectifs pédagogiques*, tome 1: *Domaine cognitif*, Québec, Presses de l'Université du Québec, 232 p.

BLOOM, B.S., J.T. HASTINGS et G.F. MADAUS (1971). *Handbook on Formative and Summative Evaluation of Student Learning*, New York; Montréal, McGraw-Hill, 923 p.

BROOKHART, S.M., et J.G. DEVOGE (1999). « Testing a theory about the role of classroom assessment in student motivation and achievement », *Applied Measurement in Education*, vol. 12, n° 4, p. 409-425.

BRUNER, J.S. (1967). *Toward a Theory of Instruction*, Cambridge, The Belknap Press of the Harvard University Press, 176 p.

CANALE, M. (1981). « Communication: how to evaluate it ? », *Bulletin de l'Association canadienne de linguistique appliquée*, vol. 3, n° 2, p. 77-94.

COMITÉ CONSULTATIF MIXTE (1993). *Principes d'équité relatifs aux pratiques d'évaluation des apprentissages scolaires au Canada*, Edmonton, Centre for Research in Applied Measurement and Evaluation, Université d'Alberta, 21 p.

COMMISSION INTERNATIONALE SUR LE DÉVELOPPEMENT DE L'ÉDUCATION (COMMISSION FAURE) (1972). *Apprendre à être*, Paris, Unesco-Fayard, 368 p.

CONSEIL SUPÉRIEUR DE L'ÉDUCATION (1982). *L'évaluation des apprentissages: ça compte-tu ?*, Québec, Gouvernement du Québec, 20 p.

CRONBACH, L.J. (1988). « Five perspectives on validity agreement », dans H. Wainer et H.I. Braun, dir., *Test Validity*, Urbana (Illinois), University of Illinois Press, p. 147-171.

CROOKS, T.J. (1988). «Classroom Evaluation Practices», *Review of Educational Research*, vol. 58, p. 438-481.

DASSA, C., et M.D. LAURIER (2003). «Le diagnostic pédagogique comme moyen d'informer», dans M.D. Laurier, dir., *Évaluation et communication: de l'évaluation formative à l'évaluation informative*, Montréal, Quebecor, p. 103-130.

DE CORTE, E., C.T. GURLIGS, N.A.J. LAGERWEIJ et J.J. PETERS (1979). *Les fondements de l'action didactique*, Bruxelles, De Boeck, 383 p.

DE KETELE, J.-M. (1993). «L'évaluation conjuguée en paradigme», *Revue française de pédagogie*, n° 103, p. 59-80.

DE LANDSHEERE, G. (1979). «L'évaluation, partie intégrante du processus d'éducation», *Vie pédagogique*, n° 5 (décembre), p. 22-28.

DE LANDSHEERE, V., et G. DE LANDSHEERE (1980). *Définir les objectifs de l'éducation*, 3ᵉ éd., Paris, Presses universitaires de France, 286 p.

DELORS, J., dir. (1996). *L'éducation: Un trésor est caché dedans*, Rapport à l'UNESCO de la Commission internationale sur l'éducation pour le vingt et unième siècle, Paris, Unesco, Odile Jacob, 320 p.

DESILETS, M., et C. BRASSARD (1994). «La notion de compétence revue et corrigée à travers la lunette cognitiviste», *Pédagogie collégiale*, vol. 7, n° 2, p. 7-10.

D'HAINAUT, L. (1980). *Des fins aux objectifs de l'éducation*, 5ᵉ éd., Paris; Bruxelles, Labor, 491 p.

DUBÉ, L. (1986). *Psychologie de l'apprentissage de 1880 à 1980*, Québec, Presses de l'Université du Québec, 364 p.

DWECK, C.S., et LEGGETT, E.L. (1988). «A social cognitive approach to motivation and personality», *Psychological Review*, vol. 95, p. 256-273.

FRÉCHETTE, M., et J. MUNN (1987). *Les bulletins descriptifs du primaire et du préscolaire*, Montréal, Société de gestion du réseau informatique des commissions scolaires (GRICS), 191 p.

FREDERIKSEN, J.R., et R. COLLINS (1989). «A system approach to educational testing», *Educational Research*, vol. 9, p. 27-42.

FROESE-GERMAIN, B. (1999). *Les tests standardisés: atteinte à l'équité en éducation*, Ottawa, Fédération canadienne des enseignantes et des enseignants, 82 p.

GAGNÉ, R.M. (1976). *Les principes fondamentaux de l'apprentissage*, Montréal, HRW, 148 p.

GRONLUND, N.E. (1988). *How to construct achievement tests*, 4ᵉ éd., Englewood Cliffs, Prentice Hall, 160 p.

HADJI, C. (1989). *L'évaluation, règles du jeu : des intentions aux outils*, Paris, Éditions sociales françaises, 190 p.

—— (1997). *L'évaluation démystifiée*, Paris, Éditions ESF, 127 p.

HANCOCK, D.R. (2001). « Effects of test anxiety and evaluative threat on students' achievement and motivation », *Journal of Educational Research*, vol. 94, n° 5, p. 284-290.

HARGREAVES, A. (1997). « Rethinking Educational Change : Going Deeper and Wider in the Quest for Success », dans A. Hargreaves, dir., *Rethinking Educational Change with Heart and Mind*, Alexandria (Virginie), Association for Supervision and Curriculum Development, p. 4-20.

HARROW, A.J. (1977). *Taxonomie des objectifs pédagogiques*, tome 3 : *Domaine psychomoteur*, Montréal, Presses de l'Université du Québec, 125 p.

HERMAN, J.L., P.R. ASCHBACHER et L. WINTERS (1997). *A Practical Guide to Alternative Assessment*, Alexandria (Virginie), Association for Supervision and Curriculum Development, 123 p.

HIBBARD, K.M., et autres (1996). *A Teacher's Guide to Performance-Based Learning and Assessment*, Alexandria (Virginie), Association for Supervision and Curriculum Development, 294 p.

JAEGER, R.M. (1982). « The final hurdle : minimum competency achievement testing », dans G.R. Austin et H. Garber, dir., *The Rise and Fall of National Test Scores*, New York, Academic Press, p. 223-246.

JALBERT, P. (1998). « Le portfolio : de la théorie à la pratique », *Québec français*, n° 111 (automne), p. 37-40.

JONNAERT, P. (2002). *Compétence et socioconstructivisme : un cadre théorique*, Paris ; Bruxelles, De Boeck Université, 100 p.

JONNAERT, P., et C. VANDER BORGHT (2003). *Créer des conditions d'apprentissage*, 2ᵉ éd., Paris ; Bruxelles, De Boeck Université, 432 p.

KANE, M., T. CROOKS et A. COHEN (1999). « Validating measures of performances », *Educational Measurement : Issues and Practice*, vol. 18, n° 2, p. 5-17.

KLIEME, E., et autres (2004). *Le développement de standards nationaux de formation : une expertise*, Bonn, Ministère fédéral de l'Éducation et de la Recherche, 178 p.

KORETZ, D., B. STECHER, S. KLEIN et D. McCAFFREY (1994). « The Vermont portfolio assessment program : Findings and implications », *Educational Measurement : Issues and Practice*, vol. 49, n° 8, p. 5-16.

KRATHWOHL, D.R., et autres (1976). *Taxonomie des objectifs pédagogiques*, tome 2 : *Domaine affectif*, Montréal, Presses de l'Université du Québec, 231 p.

KRYSPIN, W.F., et J.F. FELDHUSEN (1974). *Analysing Verbal Classroom Interaction*, Minneapolis, Burgess, 128 p.

LASNIER, F. (2000). *Réussir la formation par compétences*, Montréal, Guérin, 350 p.

LAVEAULT, D. (1992). « La mesure du changement au service de l'évaluation formative », *Mesure et évaluation en éducation*, vol. 15, n° 1-2, p. 83-102.

―――― (1999). « Autoévaluation et régulation des apprentissages », dans C. Depover et B. Noël, *L'évaluation des compétences et des processus cognitifs*, Paris ; Bruxelles, De Boeck Université, p. 57-79.

LAVEAULT, D., R. LEBLANC et J. LEROUX (1999). « Autorégulation de l'apprentissage scolaire : interaction entre les processus métacognitifs et déterminants de la motivation », dans C. Depover et B. Noël, *L'évaluation des compétences et des processus cognitifs*, Paris ; Bruxelles, De Boeck Université, p. 81-98.

LE BOTERF, G. (1999). *L'ingénierie des compétences*, 2e éd., Paris, Éditions d'Organisation, 445 p.

LECLERCQ, D. (1987). *Qualité des questions et signification des scores avec application aux QCM*, Bruxelles, Labor, 174 p.

LEGENDRE, R. (1993). *Dictionnaire actuel de l'éducation*, 2e éd., Montréal, Guérin, 1500 p.

LE MAHIEU, P.G., D.H. GITOMER et J.T. ERESH (1995). « Portfolios in large-scale assessment : difficult but not impossible », *Educational Measurement : Issues and Practice*, vol. 14, n° 3, p. 11-16, 25-28.

LINN, R.L., E.L. BAKER et S.B. DUNBAR (1991). « Complex performance-based assessment : expectations and validation criteria », *Educational Researcher*, vol. 20, n° 8, p. 15-21.

LOUIS, R. (1999). *L'évaluation des apprentissages en classe*, Laval, Études Vivantes, 212 p.

LUSIGNAN, G., et G. GOUPIL (1997). « S'évaluer ou se faire évaluer : le point de vue des élèves », *Vie pédagogique*, n° 103 (avril-mai), p. 20-23.

LUSSIER, D. (2001). « Le bulletin scolaire au carrefour des pressions sociales et des mythes qui l'entourent », *Vie pédagogique*, n° 120 (septembre-octobre), p. 35-37.

MAGER, R.F. (1962). *Comment définir des objectifs pédagogiques ?*, Montréal, Gauthier Villars, 60 p.

MAGUIRE, T., J. HATTIE et M. BRIAN (1994). « Construct validity and achievement assessment », *The Alberta Journal of Educational Research*, vol. XL, n° 2, p. 109-126.

MARZANO, R.J., D. PICKERING et J. McTIGHE (1993). *Assessing Student Outcomes : Performance Assessment Using the Dimensions of Learning Model*, Alexandria (Virginie), Association for Supervision and Curriculum Development, 138 p.

MESSICK, S. (1989). « Validity », dans R.L. Linn, dir., *Educational Measurement*, 3ᵉ éd., New York, American Council on Education/Macmillan, p. 13-104.

——— (1994). « The interplay of evidence and consequences in the validation of performance assessments », *Educational Researcher*, vol. 3, n° 2, p. 13-24.

MINISTÈRE DE L'ÉDUCATION DU QUÉBEC (1980a). *Cadre révisé d'élaboration des programmes et des guides pédagogiques*, Québec, Gouvernement du Québec, Direction générale du développement pédagogique, 27 p.

——— (1980b). *Mathématiques : programme d'études, primaire*, Québec, MEQ, Direction générale du développement pédagogique, 45 p.

——— (1981). *Politique générale d'évaluation pédagogique, Secteur du préscolaire, du primaire et du secondaire*, Québec, Gouvernement du Québec, 23 p.

——— (1986). *Le bulletin descriptif : une conception renouvelée du bulletin scolaire*, Québec, Gouvernement du Québec, 7 fascicules.

——— (1990). *Guide d'élaboration d'instruments de mesure*, Québec, Gouvernement du Québec, Direction du développement de l'évaluation, 46 p.

——— (1993). *Guide de détermination des compétences*, Québec, Direction de la formation professionnelle et technique, 21 p.

——— (1997). *Réaffirmer l'école : rapport du groupe de travail sur la réforme du curriculum*, Québec, Gouvernement du Québec, 157 p.

—— (2001). *Programme de formation de l'école québécoise, enseignement primaire* (version approuvée), Québec, Gouvernement du Québec, 350 p.

—— (2002). *Échelles des niveaux de compétence : enseignement primaire*, Québec, Gouvernement du Québec, Direction de la formation générale des jeunes, 124 p.

—— (2003a). *Politique d'évaluation des apprentissages*, Québec, Gouvernement du Québec, 68 p.

—— (2003b). *Programme de formation de l'école québécoise, enseignement secondaire, premier cycle*, Québec, Gouvernement du Québec, 575 p.

MITCHELL, R. (1992). *Testing for Learning : How New Approaches to Evaluation Can Improve American Schools*, New York, Free Press, 222 p.

MORISSETTE, D., et M. GINGRAS (1989). *Enseigner des attitudes ? Planifier, intervenir, évaluer*, Québec, Presses de l'Université Laval ; Bruxelles, De Boeck Université, 193 p.

MOSS, P.A. (1995). « Theme and variations in validity theory », *Educational Measurement : Issues and Practice*, vol. 14, n° 2, p. 5-13.

NOËL, B. (1997). *La métacognition*, 2e éd., Paris ; Bruxelles, De Boeck Université, 252 p.

PAPERT, S. (1981). *Jaillissement de l'esprit : ordinateur et apprentissage*, Paris, Flammarion, 304 p.

PARKES, J. (2000). « The interaction of assessment format and examinees' perception of control », *Educational Research*, vol. 42, n° 2, p. 175-182.

PAULSON, F.L., P.R. PAULSON et C.A. MEYER (1991). « What makes a portfolio », *Educational Leadership*, vol. 48, n° 5, p. 60-63.

PAYNE, D.A. (1968). *The Specification and Measurement of Learning Outcomes*, Waltham (Indiana), Wiley, 224 p.

PELLEGRINO, J.W., W. CHUDOWSKY, R. GLASER, et autres (2001). *Knowing What Students Know : The Science and Design of Educational Assessment*, Washington, National Academic Press, 366 p.

PERRENOUD, P. (1995). « Des savoirs aux compétences : de quoi parle-t-on en parlant de compétences ? », *Pédagogie collégiale*, vol. 20, n° 1, p. 20-24.

—— (1998). *De la fabrication de l'excellence à la régulation des apprentissages — entre deux logiques*, Paris ; Bruxelles, De Boeck Université, 219 p.

—— (2004). « Évaluer les compétences », *L'Éducateur,* n° 14 (numéro spécial : *La note exprime l'évaluation*), p. 8-11.

PIAGET, J. (1997). *Le langage et la pensée chez l'enfant,* 10ᵉ éd., Neuchâtel, Delachaux et Niestlé, 319 p.

POPHAM, W.J. (1997). « Consequential Validity : Right Concern — Wrong Concept », *Educational Measurement : Issues and Practice,* vol. 16, n° 2, p. 9-13.

—— (2001). *The Truth about Testing,* Alexandria (Virginie), Association for Supervision and Curriculum Development, 167 p.

REY, B. (1996). *Les compétences transversales en question,* Paris, Éditions sociales françaises, 216 p.

REY, B., V. CARETTE, A. DEFRANCE et S. KAHN (2003). *Les compétences à l'école — Apprentissage et évaluation,* Bruxelles, De Boeck Éducation, 160 p.

ROID, G.H., et T.M. HALADYNA (1982). *A Technology for Item Writing,* New York ; Toronto, Academic Press, 259 p.

ROSS, S. (1998). « Self-assessment in second language testing : a meta-analysis and an analysis of experiential factors », *Language Testing,* vol. 15, n° 1, p. 1-20.

SCALLON, G. (1988). *L'évaluation formative des apprentissages,* Québec, Presses de l'Université Laval, 2 tomes, 171 p. et 263 p.

—— (2000). *L'évaluation formative,* Saint-Laurent, Éditions du Renouveau pédagogique, 447 p.

—— (2004). *L'évaluation pédagogique des apprentissages dans une approche par compétences,* Saint-Laurent, Éditions du Renouveau pédagogique ; Paris ; Bruxelles, De Boeck Université, 346 p.

SCHMOKER, M., et R.J. MARZANO (1999). « Realizing the promise of standard-based education », *Educational Leadership,* vol. 56, n° 6, p. 17-21.

SCHWEUNLY, B., et D. BAIN (1993). « Mécanisme de régulation des activités textuelles », dans L. Allal, D. Bain et P. Perrenoud, dir., *Évaluation formative et didactique du français,* Paris, Delachaux et Niestlé, p. 219-238.

SCRIVEN, M. (1967). « The methodology of evaluation », dans R.W. Tyler, R.M. Gagne et M. Scriven, dir., *AERA Monograph Series on Curriculum Evaluation, 1,* Chicago, Rand McNally, p. 39-83.

SEGUIN, S.P.,C. PARENT et R. BURELLE (1993). « Croyances saillantes et conditions de la praticabilité de l'évaluation formative des apprentissages », dans R. Hivon, dir., *L'évaluation des apprentissages: réflexion, nouvelles tendances et formation*, Sherbrooke, Éditions du CRP, p. 137-160.

SHEPARD, L.A. (1995). « Using assessment to improve learning », *Educational Leadership*, vol. 24, n° 2, p. 38-43.

—— (1997). « The centrality of test use and consequences for test validity », *Educational Measurement: Issues and Practice*, vol. 16, n° 2, p. 5-8, 13, 24.

—— (2003). « The hazards of high-stake testing », *Issues in Science and Technology*, vol. 19, n° 4, p. 53-58.

SHEPARD, L.A., R.J. FLEXER, E.H. HIEBERT, S.F. MARION, V. MAYFIELD et T.J. WESTON (1996). « Effect of introducing classroom performance assessment on student learning », *Educational Measurement: Issues and Practice*, vol. 15, n° 3, p. 7-18.

SIMON, M., et R. FORGETTE-GIROUX (2003). « Évaluer pour informer: l'utilisation du dossier d'apprentissage », dans M.D. Laurier, dir., *Évaluation et communication: de l'évaluation formative à l'évaluation informative*, Montréal, Quebecor, p. 267-301.

SKINNER, B.F. (1957). *Verbal Behavior*, New York, Appleton, 478 p.

SLAVIN, R. (1983). *Cooperative Learning*, New York, Longman, 147 p.

STECHER, B.M., et J.L. HERMAN (1997). « Using portfolios for large scale assessment », dans G.D. Phye, dir., *Handbook of Classroom Assessment: Learning Adjustment and Achievement*, San Diego, Academic Press, p. 491-516.

STIPEK, D.J. (2002). *Motivation to Learn: From Theory to Practice*, 4e éd., Boston, Massachusetts, Allyn and Bacon, 307 p.

TARDIF, J. (1992). *Pour un enseignement stratégique: l'apport de la psychologie cognitive*, Montréal, Éditions Logiques, 474 p.

TIERNEY, R.J., M.A. CARTER et L.E. DESAI (1991). *Portfolio Assessment in the Reading-Writing Classroom*, Norwood (Massachusetts), Christopher-Gordon, 200 p.

TOMBARI, M., et G. BORICH (1999). *Authentic Assessment in the Classroom*, Upper Saddle River (New Jersey), Prentice Hall, 236 p.

TOURNEUR, Y. (1985). « La certification des compétences », *Mesure et évaluation en éducation*, vol. 7, n° 4, p. 5-20.

VENNMAN, S. (1984). « Perceived problems of beginning teachers », *Review of Educational Research*, vol. 54, n° 2, p. 144-178.

VIAU, R. (1994). *La motivation en contexte scolaire*, Saint-Laurent, Éditions du Renouveau pédagogique, 221 p.

VYGOTSKI, L.S. (1997). *Pensée et langage*, 3ᵉ éd., Paris, La dispute, 536 p.

WEINER, B. (1986). *An Attribution Theory of Motivation and Emotion*, New York, Springer-Verlag, 304 p.

WEISS, J. (1991). « Introduction », dans J. Weiss, dir., *L'évaluation : problème de communication*, Fribourg, Delval/IRDP, p. 5-7.

——— (1994). « Évaluer autrement ! », *Mesure et évaluation en éducation*, vol. 17, n° 1, p. 63-74.

WIGGINS, G. (1994). « Toward better report cards », *Educational Leadership*, vol. 49, n° 2, p. 28-31.

WOLFS, J.-L. (1996). « Analyse des pratiques éducatives visant à faire participer l'apprenant à l'évaluation diagnostique », dans J. Grégoire, dir., *Évaluer les apprentissages : les apports de la psychologie cognitive*, Paris ; Bruxelles, De Boeck Université, p. 175-186.

WORTHEN, B.F., K.R. WHITE, X. FAN et R.R. SUDWEEKS (1999). *Measurement and Assessment in Schools*, New York, Longman, 579 p.

Index des sujets